어린왕자 춘천지

야생초 편지
글과 그림/황대권

기획/나무선
편집/고은희, 이준호
디자인/한순복
마케팅/부장 신재우, 양승우
업무관리/최희은

초판 1쇄 펴냄/2002년 10월 1일
초판 8쇄 펴냄/2003년 1월 3일

펴낸곳/도서출판 도솔
펴낸이/최정환

등록번호/제1-867호   등록일자/1989년 1월 17일
주소/110-775 서울시 종로구 경운동 수운회관 510호
전화/738-0931~2 팩스/720-3469
E-mail/editor@dosolbooks.com
http://www.dosolbooks.com

저작권자 ⓒ 2002, 황대권

* 이 책의 판권은 지은이와 도솔출판사에 있습니다. 이 책 내용의 전부
  또는 일부를 재사용하려면 반드시 양측의 서면 동의를 받아야 합니다.
* 이 책의 인세와 판매수익금 전액은 도서관 사업 및 독서 진흥을 위해
  쓰여집니다.
* 값은 표지에 있습니다.

ISBN 89-7220-129-4   03810

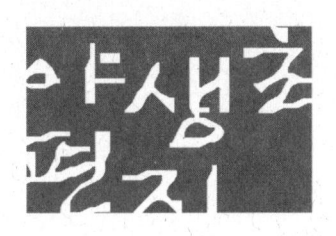

황
대
권 글과 그림

부끄러운 과거를 들추는 것 같아 굳이 마다한 서문이었다. 그러나 막상 책이 서점에 깔리고 독자들의 사랑을 받게 되니 그게 아니구나 싶었다. 이 책은 겉으로 보기에 평범한 야생초 관찰일기이지만, 실은 사회로부터 추방당한 한 젊은이가 타율과 감시 속에서 어떻게든 살아남으려 했던 생명의 몸부림이기도 하다.

감옥 마당에서 무참히 뽑혀 나가는 야생초를 보며 나의 처지가 그와 똑같다는 생각이 들었다. 밟아도 밟아도 다시 살아나는 야생초의 끈질긴 생명력을 닮고자 하였다. 아무도 보아주지 않는 '잡초'이지만 그 안에 감추어진 무진장한 보물을 보며 하느님께서 내게 부여하신 무한한 가능성에 대해 신뢰하게 되었다.

여전히 인간 중심적인 기술이지만, 나는 독자들이 이 책을 통하여 모든 생명은 본질적으로 같으며, 그것이 아무리 하찮아 보일지라도 이 우주에 하나뿐이라는 생명의 동질성과 소중함을 읽어 주길 바란다. 그리하여 사람들 사이에 생태주의적 시각이 널리 확산되는 데 조금이라도 기여할 수 있다면 더 없는 기쁨이겠다.

이 책의 수익금이 'MBC 느낌표'를 통하여 책읽기 운동에 쓰여진다니 이 또한 기쁜 일이다.

2002년 세모에 바우 손모음

들풀 향기 가득한 생명의 고백서

이해인(수녀, 시인)

황대권 님이 감옥에 있던 시절 그가 내게 보냈던 편지들을 나는 아직 소중히 보관하고 있습니다. 그토록 제한된 환경에서 어쩌면 그리도 사유의 뜰을 깊고 넓게 가꿀 수 있는지를 늘 감탄하면서 수업 시간에 학생들에게도 자주 글을 읽어 주곤 하였습니다.

그가 출소해서 강의를 할 적에도 일부러 찾아가 감옥에서 키운 야생초 체험담을 매우 흥미롭고 감동 깊게 들은 일이 있습니다. 이제 본인이 직접 그린 생생한 그림까지 곁들여 한 권의 책으로 엮은 이 야생초 이야기를 나는 밤이 가는 줄도 모르고 단숨에 읽었습니다. 어서 더 많은 사람들에게 읽히고 싶은 욕심이 절로 생기는 재미있고도 유익한 책입니다.

처음엔 자신의 만성 기관지염을 고쳐 보려고 풀을 뜯어 먹다가 이내 야생초에 반해서 야생초 연구가가 된 사람! 감옥에서 어렵게 씨를 구해 각종 야생화를 정성껏 가꾸며 삶을 이야기하는 그의 글에는 초록빛 들풀 향기가 가득합니다. 소박하고 겸손한 풀들이 '옥중 동지'였다고 서슴없이 고백하는 그의 글들엔 감옥 생활의 애환도 가득합니다. 동료들을 불러

모아 '들풀모듬'으로 잔치를 하는 그. 컵라면 용기, 마가린 통에 들꽃을 심고 때로는 코카콜라 병 속에 청개구리를 키우며 쥐와 거미와도 친하게 이야기하는 모습은 때로 눈물겹기까지 합니다. 야생초에 대한 그의 관찰과 연구는 전문가 수준이며 이 관찰은 식물적인 견해를 넘어 자신의 삶에 대한 성찰, 인간관계에 대한 묵상으로까지 확산됩니다. 그래서 동생에게 쓰는 편지 형식으로 이어지는 그의 야생초 관찰일기는 풀 향기 가득한 식물일기이고 생명일기이며 감옥에서도 자유로운 한 구도자의 사색일기, 수련일기라고 여겨집니다.

'토종이 사라진 사회, 토종이 사라져도 아무도 슬퍼하지 않는 사회, 그런 세상에 살고 있다. 지금 우리는……' 이라고 탄식하는 그의 고백을 들으면 진정 우리 주변의 들풀 하나도 소홀히 할 수가 없습니다. 이 책을 읽고 우리도 우리의 야생초를 아끼고 사랑하는 마음이 더욱 새롭게 싹트는 계기가 되면 좋겠습니다.

마당을 야생초 전시관으로 꾸미고 야생초차를 마시며 살고 싶다는 자신의 꿈을 조금씩 이루어 갈 대권 님, 진정 들풀 같은 생을 살아왔으며 다시 들풀처럼 일어나 이 사회를 생명 가득한 녹색으로 바꾸고 싶은 '바우' 님의 《야생초 편지》 발간을 진심으로 축하드리며 책에서 한 구절 퍼다가 내 마음에 새겨 봅니다.

"우리 인간만이 생존 경쟁을 넘어서서 남을 무시하고 제 잘난 맛에 빠져 자연의 향기를 잃고 있다. 남과 나를 비교하여 나만이 옳고 잘났다고 뻐기는 인간들은 크고 작건 못생겼건 잘생겼건 타고난 제 모습의 꽃만 피워 내는 야생초로부터 배워야 할 것이 많다."

동네 마지막 집에서도 뚝 떨어진 오두막에서 생활한 지 3년째. 하루 종일 한 사람도 만날 수 없는 자연에 묻혀 있으면서 한편으론 행복을 듬뿍 느꼈지만 한편으론 자연에 대한 엄청난 무식과 무지를 느끼지 않을 수 없었다. 계절마다 온갖 풀과 꽃과 벌레와 나무들의 축제가 벌어지고 있건만 나는 그것에 대해 아는 게 별로 없었던 것이다. 그것의 이름도 생태도 기능도 존재의 이유도 몰라 나는 참 답답했다. 서점에 나가 도감류들을 뒤져 가며 이것저것 애써 봐도 그 문은 열리지 않았다.

그러던 어느날 녹색평론 사이트를 살피다 황대권 님의 '뿌리내리기'란 글을 읽게 되었다. 생소한 이름이었고 약력에는 감옥생활을 오래한 투사의 경력이 눈에 띄었다. 별로 기대하지 않고 글을 읽어 내려가다 나는 필자가 자연을 대하는 방식이 내가 자연과 풀을 대하며 느꼈던 것과 너무나 비슷하다는 걸 알게 되었다. 뿐만 아니라 그는 이미 오래 전부터 내가 느끼는 무지를 통감하고 공부에 공부를 거듭하여 세상 보는 법까지 바꾸어 버린 자연공부의 대선배였던 것이다.

행동의 자유가 거의 없는 곳에서 어렵게 어렵게 입수한 풀씨를 심어 가꾸면서 일일이 맛을 보기도 하고 그림으로 그리기도 하면서 그 이름과 특징들을 온몸으로 체험한 숱한 나날들. 그것은 마치 '쇼생크 탈출'의 팀 로빈스나 '빠삐용'의 더스틴 호프만처럼, 성격은 전혀 달랐지만 자유를 갈구하는 한 인간의 집념을 떠올리게 하는 흥미로운 것이었다. 인

8

간으로서의 최대의 제약조건을, 너무도 흔해서 아무도 관심을 두지 않는 잡초를 쓰다듬으며 넘어설 수 있었다니!

수년 동안 감옥에서 띄운 야생초 관련 편지들은 편지 이상의 그 무엇이었다. 미대를 지망했던 데생 솜씨로 그려진 풀 그림들은 그가 얼마나 풀들을 깊고 뜨겁게 껴안고 있는지를 잘 드러내고 있었다. 매일매일 스쳐 지나치기만 하던 온갖 풀들이 저마다 주연으로 등장하여 존재이유를 밝히고 세상살이의 이치를 조목조목 드러내 주고 있었다. 자연농법의 대가 후쿠오까 마사노부의 책 제목 《짚 한 오라기의 혁명》처럼 그의 편지는 이 세상에 널려있는 풀 한 포기를 애지중지 가꾸다가 자기의 몸과 마음, 세상과 우주를 보는 방식을 송두리째 바꾸어 버린 나날의 기록이었다.

대략 6년에 걸쳐 봉함엽서에 모나미 볼펜으로 정성들여 쓰여진 편지들은 얼핏보아도 한 손에 잘 잡히지 않을 정도로 많은 양이었다. 노트북 컴퓨터를 펼친 것 같은 크기의 종이에 물감으로 그려진 풀들과 어울려 한장 한장이 시화전 같은 데 출품해도 손색이 없을 정도의 보기 좋은 편지들. 마침내 편집작업을 시작했을 때, 애초 편지를 썼던 동기가 책을 내려는 목적이 아니었기 때문에 상당한 양을 추려 내야 했다. 인사말 등과 같은 사적인 내용들의 중복을 피했고 편지가 쓰여진 날짜는 제목 왼쪽의 우표 소인을 본딴 그의 그림 안에 넣어 자연스럽게 표시했다. 풀 이야기는 계절이 중요한데, 발송 날짜를 확인하고 읽으면 글맛이 더할 것이다.

이제 온몸으로 맛보며, 요리하며, 약으로 쓰며, 그림을 그리며, 급기야 자기까지 던져 버린 자연공부의 선배 덕에 내가 사는 들판을, 온 천지를 보물섬으로 볼 수 있게 되었다. 어딜 둘러봐도 먹거리, 찻거리, 볼거리, 공부거리가 지천에 널려 있는데 어찌 행복하지 않을 수 있단 말인가!

■ 차 례

서문 / 황대권
추천의 글 / 이해인
편집자 노트 / 나무선

1. 안동교도소에서 I (92~93년)

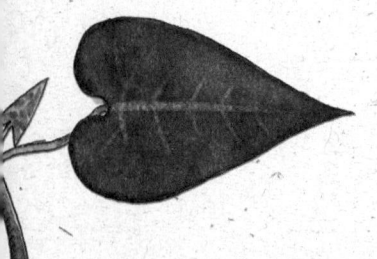

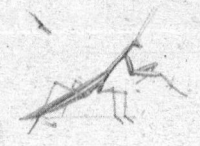

2. 안동교도소에서 II(94년)

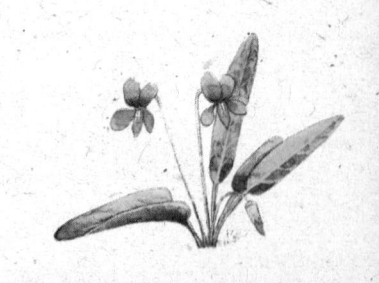

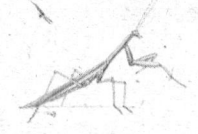

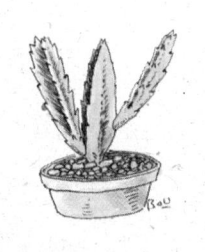

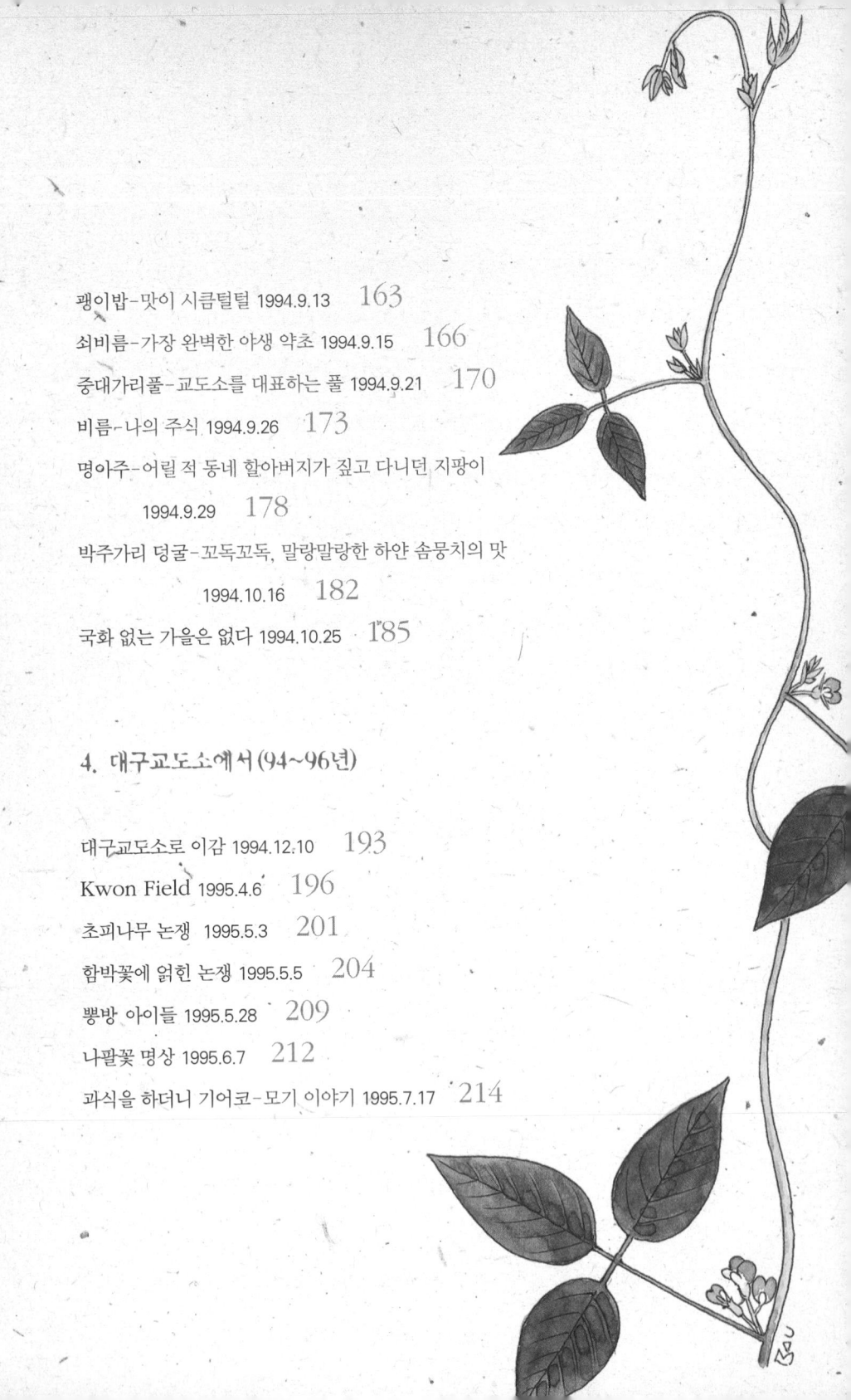

4. 대구교도소에서 (94~96년)

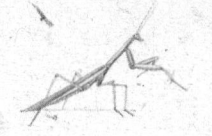

5. 대전교도소에서 (97년)

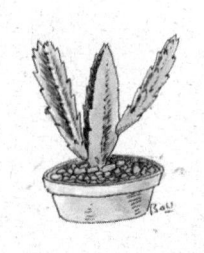

· 이신에게 —

　오늘 오랜만에 노동을 좀 했다. 땡볕이 조금
수그러 들었으니 속은 가득 배속되 좀 갖아먹을까
해서 밭고랑 두개를 갈아 엎었다. 그동안 이
신재법이 매일같이 퍼다 날 '똥+잿밥' 씨
우거들은 흙과 잘 섞어 있어 밭고랑을 만든것이다.
삼도 깊게 얀혔라고 (삼도 원데에서 빌렸음)
여름내 내버려 두었던 잡초들을 사귀 뽑아
밭고랑 한 구석에 자리를 마련하여 퇴비
무덤을 만들었다. 잡초들을 걷어버리면서 보니
친피를 묵묵 훑기여 동박짓을것이 없었다.
수량도 제법 되었고. 아래에 그린 '땅빈대'
라는 놈이다. 잎사귀는 그런대로 보아줄레
꽃은 돋보기를 들이대야 겨우 관찰할
수 있는

작은 꽃이야. 더것
의 세배정도는 될
땅빈대를 이명
세치 그린 도감은
실물크기
기야. 아마
게 상
없을 것이다.
이 놈은
바름 그대로
땅에
바짝
붙이서 기어
지름   다민다.
컨 돌돌   게지 내가 관
고도 땅에   중 이끼뮤 배
제라도 붙이다.   가장 바짝 붙이
안기 박고 광광 받아도.   어지나 촥빡 붙어
되거운 일자

눈에 잘 안 뜨이는 거야. 게다가 일새
가슴레에도 고동색 반점이 있으니 동아한
러 햇각기지. 이 놈은 방사상으로 줄기를
뻗어두. 각 마디마다 또 줄기를 사방으로
뻗으니 잘 자라 놈을 뽑아들면 마치
동가리 방석를 들고 보는듯 하다. 다무기
깔게 뻗어야 직경 30~50㎝ 사이를
넘지 않는다.
　땅빈대의 꽃은 아마 희만형 꽃 콜레스트
에 내가면 특립없이 상위임상을 할것이나
너무 작아서 맨눈으로는 잘 안보이지만. 돋보
기라도 들어대고 자세히 보면 이게 도대체
괜인지 뭔지 익숙없는 형해를 하고 있어
어리둥절 하다. 보통으로 생긴 원축형 꽃
기둥 중간에 마치 뒷빡같이 생긴 씨방
을 달고 있는거야. 검신원 안에 자세히
그려 놓았듯이. 이렇게 괴상하게 생긴놈들
이 마디마다 다닥다닥 붙어있어 도대체
이게 무엇가 하고 들여다 보지만 너무 작아
서 잘 보이질 않으니 요리조리 들여다 봐라
가는 그냥 자증을 내고 던져버리기 일수이지.
　땅빈대는 잡풀글씨 도감에도 없는것으로
봐아 아직 제대로 연구된 것이 없음모양이다.
그 뭉도라돌지 생태 따위가.
　그동안 야생초에 관심을 가우여 오면서
느낌 것인데, 하루빨리 정부는 국책차원
에서 '야생초 연구소'를 건립해야야 한다
는 거다. 제약회사나 화장품 회사 들기에
야생초 연구소가 있건 사범이다. 하지만
이런것들은 존재라유가 이뮨놀기에 있으므
연구목적도 제한적이므로 생태계 보건과
국민복리증진이라는 큰 목적달성과는 관계

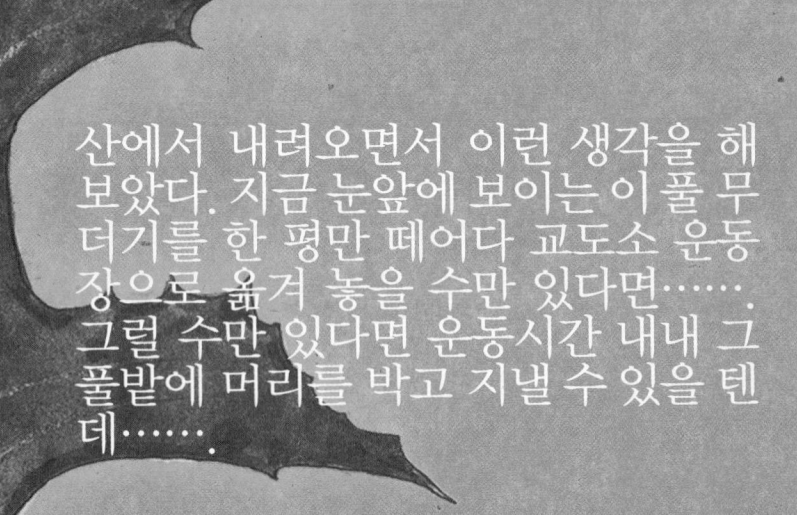

산에서 내려오면서 이런 생각을 해 보았다. 지금 눈앞에 보이는 이 풀 무더기를 한 평만 떼어다 교도소 운동장으로 옮겨 놓을 수만 있다면……. 그럴 수만 있다면 운동시간 내내 그 풀밭에 머리를 박고 지낼 수 있을 텐데…….

내 작은 야생초밭

선아, 지난번 어머님 모시고 면회 왔다가 서울엔 잘 올라갔는지? 길이 멀기는 하다만 차 안에서 신록의 산하를 내다보는 재미가 없지는 않았을 것이다. 요즘 비가 자주 내려서 산야의 어린 풀들이 신명이 났다. 내가 만든 작은 꽃밭에 옮겨 심은 야생초들이 이젠 완전히 뿌리를 내려 달콤한 봄비 속에 무럭무럭 자라나고 있단다. 확실히 하늘에서 내리는 비는 그냥 '물'이 아니다. 맑은 날에는 꽃밭에 아무리 열심히 물을 주어 봐야 시들지만 않을 뿐 그저 그런데, 비만 오면 마치 화답이라도 하듯이 풀들이 아우성이야. 비가 온 다음 날 운동 나가서 풀들을 들여다보면 말쑥한 자태로 하루 사이에 부쩍 자란 키를 자랑하고 있거든. 하긴 천지의 기를 담뿍 머금은 물을 원 없이 맞으니 어찌 좋지 않으리!

그동안 내가 여기저기서 떠 옮겨 심은 것을 적어 보겠다. 냉이, 제비꽃, 괭이밥, 씀바귀, 마디풀, 방가지똥, 지칭개, 개쑥갓, 황새냉이, 벼룩나물, 명아주, 쑥, 사철쑥, 상치, 꽃마리, 그

리고 씨를 심어 싹을 틔운 나팔꽃과 사과나무, 뽕나무……. 지금 제비꽃은 다 지고 씀바귀꽃만이 한창이다. 그 밖에 이름이 확인되지 않은 것 두세 가지가 더 있는데, 나중에 확인해 본 다음 알려줄게. 웬 꽃 이름을 이렇게 잘 아냐구? 사실은 본격적으로 야생화 공부를 하려고 이번 달에 거금 5만 원을 투자해 야생화 도감을 하나 샀단다. 참한 출판사에서 최근에 발행한 ≪산과 들의 계절 식물≫이란 건데, 지금까지 나온 도감 중에는 가장 좋은 것 같지만 왠지 설명이 부족한 느낌이 든다. 특히 그림이 영 맘에 안 들어. 여러 사람이 분담하여 그렸기 때문에 일관성이 없고 또 정밀도와 묘사력이 서양의 것들과 비교해 많이 뒤진다. 우리나라 기초과학의 수준이 그 정도밖에 되지 않으니 어쩔 수 없지. 어쨌든 저자는 고등학교 교장 선생님인데 엄청난 일을 해냈더군. 그분의 노고에 감사드리며 이만.

생쥐란 놈들이

날씨가 어찌나 더운지 오후에 운동하러 나갔다가 더위만 잔뜩 먹고 들어왔구나. 본격적인 초여름이 시작되는 모양이다. 이번 주부터는 온수 목욕도 중단되었는데, 때맞춰 날씨가 더워지니 다행이구나 싶다. 그런데 화단에 옮겨 심은 야초들이 땡볕을 견뎌내지 못해 안쓰럽구나.

지난주 큰 공사를 벌여서 화단의 폭도 조금 늘이고 이웃 사동에서 못 보던 풀도 몇 포기 뽑아 심고 했단다. 지난번 이후 새로 옮겨 심은 풀들을 적어 볼까? 털개지치, 선괭이밥, 조밥나물, 왕고들빼기, 쇠뜨기, 봄맞이꽃…… 아직 이름을 밝혀내지 못한 것도 몇 가지 있구. 그리고 '메리골드'와 '하니곰' 모종을 원예부에서 몇 포기 얻어 심기도 했다. 국화 두 포기를 어렵사리 얻어와 심어 놓았는데 다음날 가 보니 생쥐란 놈들이 잎을 모조리 갉아먹고 밑동만 삐죽이 남아 있는 게야. 신기하게도 다른 풀들은 하나도 건드리지 않고 국화만 갉아먹었더라구. 전에 원예부에 있을 때도 쥐란 놈이 밤새 모종들을 하도 갉아먹어서 고생한 적

이 있었는데…….

이곳엔 쥐가 엄청 많다. 건물이 온통 콘크리트와 철근으로 되어 있어서 쥐가 별로 없을 것 같은데, 웬걸? 밤이 되어 인기척이 끊어지면 교도소 마당은 온통 쥐 세상이 되고 만단다. 쥐들이 사방에서 뛰쳐나와 이리저리 먹이를 구하러 다니는데, 할 일 없는 날은 창 밖으로 이놈들 노는 꼴을 바라다보는 것도 큰 재미지. 어떤 때는 먹다 남은 건빵 따위를 던져 주면서 놈들을 불러모으기도 한단다. 사회에 있을 때는 쥐만 보면 징그럽고 더러워서 피해 버리고 말았는데, 여기 들어와 쥐를 하도 많이 보다 보니 이젠 정이 들어서 오히려 쥐를 만나면 강아지 부르듯이 불러서 같이 놀자고 할 정도야.

지난번엔 담요 털러 나갔다가 소 측에서 담 밑에 놓은 쥐덫에 큰 쥐 한 마리가 걸려들어 안절부절못하고 있기에, 쥐덫을 주워들고 코끝에 닿을 듯 가까이 들여다보니 놈이 그렇게 귀엽고 가여울 수가 없더라구. 한참을 들여다보다 전에 원예부에 있을 때 놈들을 너무 많이 잡아 죽인 것이 마음에 걸려 그만 녀석을 쥐구멍으로 놓아주고 말았단다. 어떤 장난꾸러기 재소자는 쥐를 잡아 목에다 끈을 묶어서 운동시간에 마치 개 데리고 산책하듯이 끌고 다니기도 한단다. 다 지루하기 짝이 없는 징역 생활을 깨기 위한 희극들이지.

부쳐준 영어 성경은 잘 받았다. 매일 조금씩 보고 있는데, 문장도 현대식으로 쉬운 데다가 국역으로 읽을 때 무심코 지나쳤던 부분들이 새롭게 다가올 땐 기쁨에 겨워 무릎을 치기도 한단다. 지

난번 고해성사 때 신부님께서 루가복음 완독을 내려 주셨기에 요즘은 그 부분을 매일 보고 있다. 이 복음의 향기가 네게도 미칠 수 있으면 좋으련만…….

사회참관

　　　　　　올 들어 처음으로 사회참관을
다녀왔다. 사회참관이 뭐냐구? 장기수들을 가끔 가다 한 번씩 담
밖으로 데리고 가서 사회 구경을 시켜 주는 것이지. 안동에서 징
역을 산 지 벌써 5년이 지나 웬만한 데는 다 가 보아 어떤 때는 갔
던 곳을 또 가곤 하지.

　　오늘은 그동안 말로만 듣던 임하댐을 구경 갔다. 수몰 지구 논
쟁으로 관심이 많던 곳이었는데, 과연 엄청난 공사였더군. 웬만한
산이 통째로 잠겨 버릴 정도였으니 그 깊이와 넓이가 어느 정도인
지 짐작이 가더라. 저 아래가 전에는 청송 가는 도로였다는 소리
만 들어도 알 수 있지. 완공한 지 얼마 되지 않아서 주변의 잔디밭
에 벌건 흙이 내비치긴 하지만 안동의 새로운 관광명소로 개발하
려는 의지가 엿보이는 댐 공원이다. 댐 구경은 눈앞에 펼쳐진 넓
은 호수와 그 너머 첩첩산중이 빚어내는 장쾌한 풍경을 한동안 바
라보면 그만일 뿐, 우리는 뒤이어 우르르 몰려든 고등학교 단체
소풍객들에게 밀려 댐 아래로 내려갔다. 거기서 그냥 시내로 밥

먹으러 가려는 걸 담당자를 붙들고 풀밭에 앉아 조금만 쉬엄다리하고 가자고 졸랐지. 내가 오늘 밖에 나온 최대의 목적을 수행키 위해서야.

모두들 차에서 내려 바람을 쐬고 있는 사이 나는 길바닥에서 나무 조각을 하나 주워들고 땅만 쳐다보며 부지런히 야생초를 캐기 시작했지. 요 며칠 가물어서 땅이 어찌나 단단한지 처음에는 캐는 족족 뿌리가 중간에서 똑 끊어지는 바람에 애를 먹었다. 그러다 풀숲에서 큼지막한 철근 토막을 하나 주워 무식허니 푹푹 파 제껴 뿌리째 건져 올릴 수 있었다. 그동안 방안에서 틈만 나면 식물도감을 펼쳐 본 덕분에 웬만한 풀들은 꽤 낯이 익었건만, 전혀 보도 못한 풀을 만나게 되면 가슴이 설레는 게 꼭 길 가다 예쁜 여자 만난 기분이다. 오늘 그곳 풀밭에서 만난 많은 야생초들 가운데 내 숨을 일시에 멎게 하는 귀요한 풀을 보았는데, 그 기품이나 초세가 온실에서 자라는 재배화초와는 비교도 되지 않더라구. 언젠가 마당 딸린 집을 갖게 된다면 이렇게 기품 어린 야생초를 모두 수집하여 근사한 화단을 꾸미겠노라는 생각이 들더구나. 나중에 도감을 찾아보니 이름이 '고삼'이더군. 미처 몇 뿌리 캐지도 않은 것 같은데 사람들이 밥 먹으러 가자고 재촉하는 바람에 아쉽게도 굽혔던 허리를 펴야만 했다. 방에 돌아와 대야에 담가 놓았으니 내일 아침 운동 나가서 화단에 심기만 하면 되는 거지. 아무쪼록 모두 되살아나야 할 텐데…….

차를 타고 내려와 시내 중심가에서 돼지불고기를 반찬으로 양껏 저녁식사를 하고는 징역 들어와 처음으로 다방이란 델 들어가

커피도 한잔 얻어먹었다. 낯설기만 한 이 모든 풍경들 가운데 무엇보다도 가장 신기하고 눈에 띈 것은 여자들이 예쁘게 차려입고 팔랑팔랑 걸어다니는 모습이었다. 동물원에서 사자나 호랑이를 구경하듯 우리는 여자란 '동물'이 걸어다니는 모습을 신기하게 바라보았다. 불과 몇 분도 안 되는 짧은 시간이었기 때문에 더욱 신기하게 느껴지는 것 같았다. 겨우 7년을 세상과 격리되어 산 사람이 이 정도라면, 무려 삼사십 년을 독방에서 지낸 사람들이 세상에 대해 갖는 두려움과 경이로움이 어떠할지 짐작할 수 있겠니?

선아, 오늘밤 자리에 누워, 내년엔 사회참관이 아니라 가족들의 손을 잡고 거리를 마음껏 활보하고 있는 나를 그려 보며 잠을 청해 본다.

홍콩 영화

나의 일주일은 두 번 변화가 있다. 목요일 미사 때가 그렇고, 일요일에는 이곳에서 비디오 상영이 있으므로 매주 영화 한 편씩은 꼭 보는 셈이지. 오늘도 예외는 아니라서 비디오를 보았는데—주로 싸구려 홍콩 영화를 보여줌—역시 '연분'이라는 홍콩 연애영화였다. 장만옥과 매염방이라는 홍콩의 톱배우가 나오길래 처음에 조금 긴장했다가 나중엔 하도 재미없고 어이없어서 TV 화면 대신 TV 보는 사람들 표정을 훔쳐 보았단다. 그쪽이 훨씬 재미있었거든. 오늘 비디오를 보면서 영화로도 사람을 얼마든지 고문할 수 있다는 걸 알았다. 무엇보다도 이해할 수 없는 것은 주윤발이나 유덕화, 왕조현 등과 같은 톱스타들이 그토록 저질영화에 무분별하게 출연한다는 사실이다. 정말로 홍콩이란 곳은 고급과 저질, 프로와 아마가 마구 뒤섞인 그야말로 '짬뽕'과 같은 도시라는 인상이 들더구나.

이번 '리오 환경회의'에서 어째 심각한 환경공해 중 하나인 홍콩 영화를 다루지 않았는가 모르겠다. 그리고 그따위

27

영화를 보여 주는 소 측의 무성의와 무지에 대해서도 두 손 들고 말았다. 주로 폭력적인 사건과 관련되어 들어온 젊은 재소자들을 교화시켜야 할 의무가 있는 교도소가(옛날에는 형무소라고 불렀으나 지금은 형을 살리는 것만이 목적이 아니라 교정교화에 더 신경을 쓴다는 취지에서 이름도 矯導所로 바꾸었음) 허구헌 날 홍콩의 폭력영화를 보여 주고 있으니……. 가끔가다 내가 담당자들에게 항의하면 그들은 한결같이 비디오점에 그런 영화밖에 없으니할 수 없다는 것이야. 비디오점이야말로 악화(惡貨)가 양화(良貨)를 구축하는 가장 전형적인 장소인 것 같다. 이 천민자본주의를 개선시킬 방도는 없는 것일까?

네가 염려해 준 덕분으로 지난번 사회참관 갔다가 옮겨 심은 야생초들은 지금 모두 뿌리를 내려 잘 자라고 있단다. 그때 옮겨 온 것들의 이름을 한번 읊어 볼게. 달개비, 방가지똥, 피나물, 석잠풀, 메꽃, 단풍나무(씨에서 싹튼 것), 달맞이꽃, 깨풀, 며느리밑씻개. 그 밖에 이름을 모르는 것 몇 가지가 더 있다. 이렇게 해 놓고 보니 이젠 화단이 그득하여 더 심을 자리도 별로 없게 되었구나. 아마 장마가 지나면 이파리가 무성해질 것이다.

어제는 날씨도 무덥고 입도 궁금하고 하길래 입맛을 낸다고 운동장 구석에 자라난 쇠비름과 명아주, 고들빼기를 뜯어다 물로 깨끗이 씻어서 고추장에 찍어 먹었다. 맛이 괜찮더군. 하긴 그동안 교도소 안에 난 잡풀을 안 먹어 본 것이 없는데 이제부터는 단순

28

히 호기심으로 맛을 보는 차원이 아니라 적극적으로 요리로 개발
해서 먹을 생각이다. 다음번엔 토끼풀 무침을 계획 중인데 해 먹
고 나서 감상을 말해 줄게. 그렇지 않아도 풀 때문에 내 별명이
'토끼'가 되어 버렸는데, 이젠 정말로 토끼풀을 먹게 되었구나.
사실 이곳에선 싱싱한 야채가 항상 그리운지라 그런 풀이라도 뜯
어 먹어야 입에 생기가 돈다.

인재를 당한 내 꽃밭

선아, 오늘 내 꽃밭이 엄청난 화를 당했다. 장마에 쓸려 내려가거나 가뭄에 바짝 말라 버리는 등 천재지변을 당한 게 아니라 인재를 만난 거야.

아침에 운동장에 나가 보니, 세상에! 화단에 심어 있던 풀들이 마구 뽑혀져 땅바닥에 뒹굴고 있는 게 아니겠어? 한 3분의 1 정도는 되는 것 같더라. 알아보니 교도소 구내 청소하는 사람들이 잡초 제거를 하다가 화단에 나 있는 풀을 멋도 모르고 그만 뽑아 버린 거야. 멍청한 양반들 같으니라구! 둔덕을 만들어서 화단으로 꾸며 놓은 걸 보면 몰라? 일부러 키우고 있는 걸 그렇게 무자비하게 뽑아 버릴 수가 있는가 말이야. 아무리 잡초라 해도 그렇지. 하루 종일 밥도 제대로 먹지 못하고 우울하게 지냈다. 특히 애지중지 키운 '왕고들빼기'가 처참하게 나동그라진 모습을 보고는 분에 못 이겨 허공에 대고 온갖 욕을 쏟아 부었지.

어쩌겠니? 나는 갇힌 사람이고 저 사람들은 '지저분한' 교도소를 단정하게 만든다고 한 일인데. 간신히 흥분을 가라앉히고 다시

30

화단을 보듬기 시작했다. 풀들은 이미 뽑혀 땡볕 아래 나뒹군 지 몇 시간이 지나 소생 가능성은 없었다. 아무래도 화단을 재정비하려면 도구가 필요할 것 같아 담당을 앞세워 원예부로 삽을 빌리러 갔다.

삽을 빌려서 오는 길이었다. 이웃 사동 앞에 있는 좁은 풀밭에 못 보던 풀이 나 있는 게야. 가까이 가서 보니 털이 보슬보슬 덮여 있는 게 할미꽃이야. 꽃은 이미 지고 없지만 틀림없는 할미꽃이야. 아마 안동 담 안에 있는 유일한 할미꽃일 거야. '오, 하느님, 감사합니다. 제게 이런 선물을 주시다니!' 손에 삽도 들었겠다, 바로 파 들어갔지. 그런데 이놈의 뿌리가 얼마나 깊은지 파내는 데 엄청 고생을 했다. 할미꽃이라고 비실비실한 할미를 연상했다가 큰코다치고 만 거지.

계호 담당은 여기서 꾸물거리다 주임에게 걸리면 야단맞는다고 재촉해 대지, 결국 뿌리가 너무 깊어 끝까지 파내지 못하고 끄트머리에서 끊기고 말았다. 그래도 그 정도의 뿌리면 충분히 살 수 있을 것으로 생각되어 나의 화단으로 가져가 소중히 모셔 두었다. 또다시 이런 불상사가 일어나는 것을 막기 위해 화단의 둔덕을 조금 더 높이고 주위의 작은 돌들을 그러모아 경계석을 쌓았다. 오늘 비록 엄청난 재난을 맞기는 했지만 내년에 탐스런 할미꽃을 볼 수 있으리라는 기대를 안고 아쉬운 대로 사방에 돌아왔다.

며느리밑씻개
며느리년 똥 눌 때나 걸려들지

오늘 그린 이 풀꽃의 이름이 뭔지 아니? 이 나라 산야에 흔하게 자라나는 한해살이풀이지. 보다시피 줄기와 잎 뒷면에 가시가 촘촘히 나 있어 덩굴로 자라면서 쉽게 다른 물건을 잡아당길 수 있다. 덩굴이 닭의덩굴이나 박주가리 덩굴처럼 몇 미터씩 뻗는 것은 아니고, 기껏해야 2미터 정도? 마디마다 둥그런 잎턱이 달려 있어 마치 에이프런을 둘러 입은 여중생 같은 모습을 하고 있지. 나는 가시가 돋친 식물은 싫어하지만, 이 꽃만큼은 왠지 자꾸 보듬어 주고 싶고 정이 가는구나. 잎턱도 귀엽지만, 앙증스럽게 난 꽃 때문인 것 같아. 꽃이 활짝 피면 꽃 끝이 분홍색으로 발그레한 작은 꽃 서너 개가 조그마한 꽃대에 한꺼번에 달린단다. 꼭 도라지꽃을 10분의 1 정도로 축소해 놓은 것 같지. 그 기다란 꽃대와 귀엽고 작은 발그레한 꽃을 보면 네 모습이 떠오른다. 가시를 보면 너의 그 깐깐한 성미가 생각나고…….

몇 달 전 사회참관 나갔을 때 임하댐 언저리에서 발견해서 한

32

포기 뽑아와 옮겨 심은 것이지. 그동안 심술궂은 재소자들이 몇 번이나 뿌리를 뽑고 줄기를 동강내도 끊어진 자리를 땅에 꽂아 놓으면 억척스럽게 뿌리를 내리고 되살아나더라구. 아주 끈질긴 풀이야. 그만 설명하고 이름이나 가르쳐 달라고? (이제 이만큼 궁금증을 풀어 주었으니 이름을 가르쳐 주지.)

며느리밑씻개.

이름이 좀 숭칙하다구? 너를 연상한 이 풀꽃의 이름이 좀 고상했으면 좋으련만, 어쩌겠니? 우리 조상님들이 그렇게 붙인 걸. 내가 가지고 있는 도감의 설명만으론 왜 그런 이름이 붙었는지 도무지 헤아릴 길이 없다. 도감을 들춰 보면 며느리 字 붙는 풀 이름이 이것 말고도 세 가지나 더 있더구나. 며느리배꼽, 며느리주머니, 며느리밥풀. 그런데 아무리 뒤져 보아도 시어머니 字 붙은 풀 이름은 없는 거야. 이는 필시 시어미나 시어미에게 동조하는 사람들이 붙인 이름임에 틀림없다는 생각이 들었다. 전통적으로 시어미와 며느리 사이의 불편한 관계가 많은 이야깃거리를 만들어 낸 것처럼, 이 꽃도 그 모양을 잘 살펴보면 왜 그런 이름이 붙었는지 그 이유를 짐작할 만도 하다. 즉, 하루는 시어미가 밭을 매다

가 갑자기 뒤가 마려워 밭두렁 근처에 주저앉아 일을 보았겄다. 일을 마치고 뒷마무리를 하려고 옆에 뻗어 나 있는 애호박잎을 덥석 잡아 뜯었는데, 아얏! 하고 따가워서 손을 펴 보니 이와 같이 생긴 놈이 호박잎과 함께 잡힌 게야. 뒤처리를 다 끝낸 시어미가 속으로 꿍얼거리며 하는 말이 "저놈의 풀이 꼴 보기 싫은 며느리년 똥 눌 때에나 걸려들지 하필이면……." 해서 며느리밑씻개라는 이름이 붙여졌다는 이야기가 경상북도 안동군 풍산읍 상리에서 전해 내려오고 있다네그려.

어때, 그럴듯하니? 그리고 이 그림은 내가 도감을 보고 그린 것이 아니라 운동시간에 종이를 들고 나가 화단 곁에 쭈그리고 앉아 땀을 뻘뻘 흘리며 직접 보고 그린 것이다. 노고를 좀 치하해 주길 바란다.

스타펠리아

자라고 영그는 데는 다 때가 있다

3개월 전에 원예부에서 선인
장 토막을 하나 얻어 와 방안에 꽂아 놨더니 벌써 뿌리를 화분
가득히 내리고 이와 같이 커 버렸단다. 새끼 가지 두 개가 본 가
지보다 더 커져 버린 거야. 지금 내 방 창가엔 이 같은 선인장 종
류가 네 개나 있단다. 모두 마가린 통에 얌전히 담겨서. 이놈들
은 모두 내가 싹을 틔워 기른 것이지. 무슨 말인고 하니 원예부
에서 기르던 것을 얻어 온 게 아니라, 내가 다른 데서 가져다 교
도소에 퍼뜨린 거야. 그러니까 2년도 더 전, 내가 원예부에 근무
할 때, 어려운 절차를 밟아서 인근에 있는 안동 농고 온실에 견
학 간 일이 있었지. 목적은 온실 견학 겸 페츄니아 모종을 좀 얻
어 오는 것이었는데, 온실을 둘러보던 나는 그 다양하고 화려한
열대식물에 그만 눈이 뒤집히고 말았지. (물론 지금은 야생초를
더 좋아하지만.) 나는 일행의 맨 꽁무니에서 견학하는 척하며 꺾
꽂이가 가능하다 싶은 식물들을 똑똑 따서 주머니에 가득 챙겨
넣었다. 그 정도 꺾어 간다고 그곳 식물들이 다치는 것은 아니니

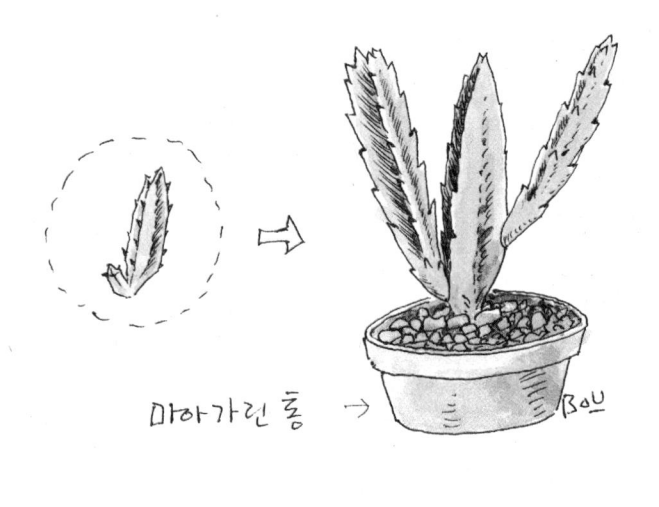

마아가린통 →

까. 그리고 교도소 하면 최하가 절도 아니겠어? 하하.

　돌아와 보니 한 스무 가지는 꺾어 온 것 같더라. 개중에 선인장
이 4~5종류 있었는데 그것들을 번식시킨 자손들이 지금 내 방에
있는 것들이지. 지금 그린 이놈은 그 꽃이 하도 기이하고 신기해
서 내가 애지중지 기르고 있단다. 선인장의 크기는 겨우 손가락만
한데 글쎄, 꽃이 한번 피면 그 크기가 손바닥만 하다니까! 줄기 어
디에선가 가느다란 꽃대가 길게 자란 뒤 그 끝에서 꽃봉오리가 자
라는데, 꽃이 펼쳐지면 꼭 털이 북실북실한 불가사리를 보는 듯하
단다. 그래서 그 이름도 '스타펠리아', 오각별을 닮았다는 뜻이겠
지. 잘라 심은 지 2년 만에 꽃을 보았으니 이놈도 틀림없이 내년
에 그 기이한 꽃을 피울 테지.

이놈을 옆에 놓고 매일 관찰하면서 느낀 게 있다. 세상 만물이 다 그렇겠지만 식물이 자라고 영그는 데는 다 때가 있다는 것이지. 요놈이 본 줄기 양쪽에 코딱지만 한 눈을 처음 틔웠을 땐 저놈이 언제나 자랄까 하고 별로 신경 쓰지도 않았다. 실제로 그 싹은 2개월이 되도록 별로 자라지 않는 것 같았어. 그러다가 기온이 25도를 웃도는 7월이 되면서 겁나게 자라기 시작하는데, 자고 일어나 보면 구별할 수 있을 정도였다.

우리네 사람도 그렇지 않은가 싶다. 공부 못하는 아이들더러 아무리 공부해라 뭐해라 하고 부모가 야단을 친들, 때가 아니 되면 아무 소용이 없어. 아이가 공부할 수 있는 환경을 만들어 주면서 언젠가 자신의 내부에서 터져 나오는 힘을 기다려 인내하고 있어야지, 조급한 마음에 이리저리 뛰어다녀 보아야 '치맛바람' 밖에 더 되겠니? 또 그 억지야말로 아이를 죽이는 횡포가 아니고 무엇일까? 이제 너도 곧 학부모가 될 사람이니 명심하길 바란다.

참외꽃의 애잔함

오늘, 추석 전에 쓴 편지를 두 통 한꺼번에 받았다. 추석을 맞이하느라 분주한 집안 모습이 정겹구나. 그런 분위기를 맛본 지가 얼마나 되는지 아득하다. 연휴가 길수록 감옥은 더욱 지루한 법, 추석 명절이라고 나오는 흰쌀밥은 눅은 내가 나서 몇 숟갈 뜨다 말았다. 비축미거든. 차라리 평소에 먹던 보리밥이나 따끈하게 해서 나오지…….

며칠 만에 운동장에 나오니 그렇게 상쾌할 수가 없다. 꽃밭의 야생초들은 가을걷이하느라 벌써 후줄근한 반면, 땅바닥엔 철모르고 싹튼 새싹들이 새파랗게 돋아나 묘한 대조를 이루고 있다. 한쪽 편엔 참외꽃이 앙증스럽게 피어 있는데, 자세히 보니 꽃 떨어진 곳에 콩알만 한 열매도 맺혀 있더라구. 꽃밭 옆에 하수도가 터져서 질질 흐르고 있는데, 아마 재소자들의 대변을 통해 참외 씨가 떨어져 싹이 튼 모양이야. 개굴창 여기저기 돋아난 그놈들을 꽃밭에 옮겨 놓았더니 노랗게 꽃을 피운 게야.

인간의 내장 속을 굽이굽이 떠다니다가 철이 다 지나서야 꽃을

피운 노랑참외. 그놈 참, 어떻게 보면 기구한 운명 같기도 하고, 어떻게 보면 그냥 똥구덩이로 휩쓸려 들어가 썩어 버린 동료들에 비해 엄청 호강하는 것 같기도 하고. 좌우간 이 가을에 들여다보는 참외꽃은 그 경이로움보다도 애잔함에 더 가슴이 저미는 것 같다.

선아, 내 방의 구조가 어떻게 생겼는지 궁금하지 않니? 궁금하고 자시고도 없다. 한 평 공간의 절반을 길게 쪼개서 한쪽은 잠자리로 쓰고 다른 한쪽은 '책무덤'으로 쓰고 있으니까. 그 한쪽에 그림도구와 화판이 있는데, 그걸 펼쳐 놓으면 방안에서 궁뎅이도 못 돌린단다. 그림을 그리건, 책상에 앉아 편지를 쓰건, 밑줄을 쳐 가며 책을 읽건 간에 한자리에 앉아서 필요한 모든 것이 팔 한번 뻗어서 닿는 거리에 있지. 모든 게 한 팔 거리 안에 있으므로 제자리에 한번 앉으면 한 번도 일어나지 않고 볼일을 다 본다는 거지. 지금 이 말이 뭐 대수로운가 하겠지만, 밖에 나가 보면 이게 걸리는가 보다.

지난 광복절에 출소하신 선생님 한 분이 편지를 보내 왔는데, 집에 들어가서 처음엔 물건을 찾으러 이방 저방 다니고 왔다갔다 하는 게 너무도 이상했다는 거야. 이십 년을 팔 닿는 거리에 물건을 두고 생활하다가 갑자기 넓어진 공간에서 물건을 찾아 왔다갔다 하는 게 너무도 낯설었다는 거지.

그러니까 나 같은 사람에게는 극미와 극대의 세계만이 있는 거야. 극미의 세계는 독방 속의 지리한 일상들이고, 극대는 징역 밖의 그리운 이들과 세상 소식들이지. 중간이란 게 없어. 극

미와 극대만을 체험하는 사람은 성격도 그와 비슷하게 되는 경향이 있는 것 같다. 작은 일에 지극히 소심하게 집착하는가 하면, 터무니없는 큰 꿈을 품기도 하고. 나한테서 혹시 그런 것 느끼지 못하겠니? 그러기에 우리 수인들에게 있어 이 '편지하는 행위'는 대단히 중요한 의미를 갖는단다.

달개비

참으로 희한한 꽃

낯익은 풀꽃이지? 그래. 달개
비야, 혹은 '닭의장풀' 이라고도 하지. 우리나라 어디서나 흔히 볼
수 있는 한해살이풀. 요즈음 운동시간이 되면 제일 먼저 운동장
구석으로 달려가 한창 꽃을 피우고 있는 요 녀석들을 들여다본다.
들여다볼수록 귀엽고 재미있는 놈. 귀가 큰 미키마우스를 닮은
놈. 마구 뻗어나가다가 마디가 땅에 닿기만 하면
금방 뿌리를 내리고 계속 뻗어나가는 생명
력. 담백하고 맛이 좋아 풍뎅이들에
게 아주 인기가 좋은 놈. 나는 처음
에 커다란 두 개의 꽃잎이 꽃받침이
고, 가운데 노란색의 쬐꼬만 십자화
세 개가 꽃인 줄 알았더니 그게 모두
수술이라고 하더구나. 참으로 희한한
꽃이다. 암술 한 개에 수술이 여섯 개
인데 수술 모양이 각기 다른 것은 아마 이

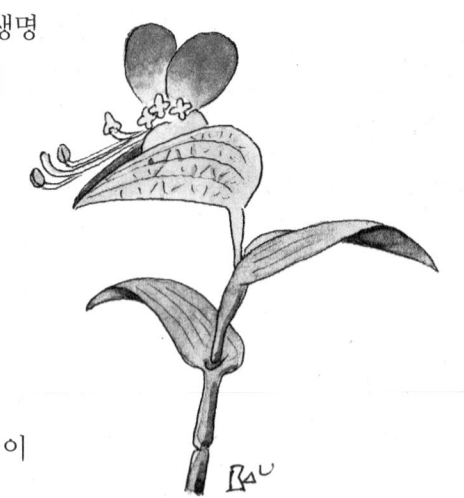

꽃밖에 없을 거야. 그중에 꽃가루가 있는 것은 암술을 호위하고 있는 보리밥알 같은 수술 두 개뿐이다. 그렇담 마치 꽃 모양으로 벌려 있는 나머지 수술 네 개가 하는 일은 무얼까? 창조주가 쓸데없는 것은 결코 만들어 내지 않았을 텐데……. 그렇다! 밋밋한 꽃잎 두 장만으로는 벌과 나비를 유인하기가 힘들다고 생각되어 그런 변화를 준 게 틀림없어.

이놈이 어떤 때는 꽃받침 하나에 꽃 두 송이를 한꺼번에 피우기도 하는데(보통은 하나가 지고 나서 다른 하나가 핌), 이렇게 층을 지어 한꺼번에 피어 있는 모습이 마치 생쥐 두 마리가 담장 밖을 내다보고 있는 것 같다. 2년 전 원예부에서 여러 종류의 열대산 관엽식물들을 키워 본 적이 있는데 그중에는 열대 달개비도 있었지. 자줏빛에다 다육질인데 그놈도 자라기는 참 잘도 자라더구나. 헌데 꽃이 우리 달개비에 비하면 별로인 데다 다육질이라서 마구 자라면 징그러운 느낌까지 들더라. 그것뿐이야? 먹을 수도 없고. 그에 비하면 우리 달개비는 훨씬 청초하고 꽃도 희한하지. 또 나물은 무쳐 먹을 수도 있고. 헌데 그놈은 물 건너 왔다고 멋진 화분에 담겨 호강하는데, 우리 달개비는 뒤꼍에 제멋대로 뻗어나다가 함부로 짓밟히는구나. 그 꼴을 보고 있자니 슬그머니 심통이 나더라구. 이곳에서는 운동장에서 달개비를 꺾어다 사이다 병에 담아서 방에 놓아둔 사람들도 있단다.

이 풀더미를
한 평만 떼어다

한 달 만에 새 안경을 끼니 세
상이 훤한 게 달리 보이는구나. 그동안 안경다리가 부러져 십여
년 전에 쓰던 뿌연 안경을 끼고 다녔더니 겉모습도 안경만큼이나
늙어 보였던 것 같다. 어제는 네가 면회 오기로 했던 날인데 사실
은 사회참관을 나갔기 때문에 만약 오게 된다면 3시쯤에나 오라
고 했던 것이다. 아니 오길 잘했다.

어제 갔던 곳은 2년 전에도 간 적이 있는 봉정사라는 절이다.
영주 부석사의 무량수전보다 오래된 고려조의 목조건물이 있는
곳인데, 실제 건물은 중간에 새 목재로 다 교체해 버린 데다 내부
도 썰렁하니 헛간 같은 게 볼품이 없더라. 그에 비하면 무량수전
의 기품 있는 모습은 과연 국보급 건물이라 할 수 있다.

나는 전에 한 번 가 본 적이 있기 때문에, 절 구경은 별로 하지
않고 절로 들어갈 때부터 나올 때까지 그저 땅만 보고 다녔다. 온
갖 풀꽃들을 헤아리느라고 그랬지. 방에 앉아 있을 때 여러 권의

도감을 통해 그렇게 많은 풀꽃들을 보았는데도 막상 산에 가 보니 온통 신기한 풀이 천지에 널려 있더라. 예전 같으면 그냥 "어, 풀 좋다!" 하고 지나쳤겠지만, 이번에는 풀 하나하나의 특성과 이름들을 주억거리며 헤쳐 나갔지. 그러자니 내가 딛고 있는 이 땅이 온갖 금은보화가 가득한 신비의 곳간처럼 여겨지면서, 발걸음을 옮길 때마다 그렇게 아쉽게 여겨질 수가 없더구나. 아침에 태풍이 지나가면서 많은 비를 뿌린 뒤라 산골짜기에는 계곡물이 콸콸 흐르고 있었다. 도랑 근처에는 온갖 종류의 여뀌와 고마리가 잔뜩 꽃을 피운 채 곳곳에서 급류에 무더기로 흐느적거리고 있더구나. 어제 봉정사에 오를 때 눈에 가장 신선하게 들어온 풀꽃은 물봉선이었다. 봉숭아꽃을 닮았지만 봉숭아보다 훨씬 강렬하고 야성미가 넘쳐나는 꽃이지. 습지와 도랑에 많이 자라는데 산에 오르면서 가장 맘이 쏠리는 꽃이었지. 물봉선 사이사이로 그와 비슷한 붉은 꽃이 자주 눈에 띄길래 자세히 보니 배곯은 며느리가 밥알을 물고 죽은 자리에 피어났다는 며느리밥풀꽃이었다. 절 위쪽의 요사채로 오르는 길목에는 2년 전처럼 머위가 가득 자라고 있었다. 그때 머위 한 뿌리를 캐 와서 원예부 꽃밭에 심었더니(당시엔 봄) 가을에 녀석들이 엄청나게 번져서 그것을 뜯어다 된장을 풀어 머윗국을 끓여 먹은 기억이 난다. 산에 사는 스님들은 참 좋겠다. 지천으로 깔려 있는 온갖 신선한 야생초를 사시사철 맛볼 수 있으니 말이야.

산에서 내려오면서 이런 생각을 해 보았다. 지금 눈앞에 보이

는 이 풀 무더기를 한 평만 떼어다 교도소 운동장으로 옮겨 놓을 수만 있다면……. 그럴 수만 있다면 운동시간 내내 그 풀밭에 머리를 박고 지낼 수 있을 텐데……. 하여간 하느님이 만드신 이 자연의 조화는 정말 무궁무진하다. 이 세상에 태어나 이 모든 조화를 모르고 그저 되는대로 흥청망청 살다 간다면 얼마나 허무할까?

이런 생각을 하며 산을 내려오는데 정말이지 길가의 풀꽃만도 못한 인간들의 행태가 눈살을 찌푸리게 하더라. 계곡 중턱에 있는 작은 폭포 위에 커다란 너럭바위가 하나 있는데, 그 곁에 멋들어진 정자 하나가 그린 듯이 서 있었지. 이왕이면 정자에 한번 올라가 보자 하는 생각에 계곡을 건너는데, 정자를 중심으로 여기저기에 널려 있는 쓰레기들, 먹다 만 도시락, 음료 깡통, 신문지 조각, 온갖 비닐 봉지 등 차마 눈뜨고 볼 수가 없더라구. 게다가 악취까지…….

산에 와서 조물주의 조화를 감상하기는커녕 제 뱃속만 채우고는 사방에 똥칠만 해 놓고 내려오는 사람들. 이담에 그들이 같은 장소에 와서 자기가 버린 쓰레기를 보고 뭐라고 말할까? 아마 자신의 소행인 줄도 모르고 인상을 쓰면서 엉뚱한 사람에게 욕을 해대지 않을까? "엽전들은 이래서 안 돼!" 하면서…….

들풀모듬

지금쯤이 단풍구경의 최적기
가 아닌가 싶다. 저녁 해질녘에 바라보는 건너편 산의 단풍은 비
록 단조로운 산괴 하나에 불과하지만 내 마음을 흔들어 놓기에 충
분하다. 노란 들국화와 연보랏빛 쑥부쟁이가 빚어내는 알록달록
한 모자이크가 따가운 햇살 아래 보석처럼 빛나고 있다. 그러나
시선을 옆으로 조금만 돌리면 우중충한 콘크리트 더미의 연속.

이 세상은 어디를 보나 묘한 대비의 연속이다. 한번 더 눈을 돌
리면 9척 담장 밑에 내가 가꾼 꽃밭에 철모르고 싹이 튼 들풀들이
가득하다. 오늘 그것들을 모두 거두어들였다. 서리 맞아 거세어
지기 전에 먹어 버렸단 말이다. 운동시간에 옆방의 이성우 선생
님과 함께(이 선생님은 꽃밭의 또 다른 주인) 쭈그리고 앉아 꽃밭
에 멋대로 자라난 온갖 잡풀들을 다 뜯었다. 다 거두니 세숫대야
로 하나 가득. 저녁에 끓는 물을 얻어다 살짝 데쳐서 된장에 무쳐
놓았다.

이름하여 '들풀모듬'. 먹으면서 세어 보니 무려 열네 가지 풀들이 섞여 있더구나. 명아주, 쇠비름, 쇠별꽃, 뽀리뱅이, 부추, 제비꽃, 조뱅이, 꿀풀, 씀바귀, 민들레, 꽃마리, 달맞이꽃, 질경이, 방가지똥. 아무래도 제철 풀이 아닌 것이 많아서 조금 질기더군. 그래도 먹어 본 이들은 모두 기가 막히다고 이구동성 칭찬을 아끼지 않았지. 이제 우리 사동 사람들은 내 덕분에 '들풀모듬'에 아주 익숙해졌지. 오늘로써 싹쓸이를 했으니 또 풀 맛을 보려면 내년 봄까지 기다려야 하겠지.

《미술공예》란 잡지를 넣었는데 네가 원래 구독하는 것이냐? 내 기억에 네 전공은 패션 디자인이었는데 요즘은 공예 쪽에도 관심이 많은 모양이지? 너도 잘 알고 있겠지만 꼼지락거리고 무얼 만드는 것이라면 이 오빠도 일가견이 있는 사람이란다. 나는 참다운 공예의 전형을 교도소 안에서 본다. 왜냐하면 이 안에는 사회에서처럼 작가가 원하는 재료를 마음대로 구할 수 없기 때문이지. 무에서 유를 만들어 내야만 한다. 이 안에서 구할 수 있는 가장 기본적인 재료인 라면상자, 밥풀, 종이를 가지고 생활에 필요한 온갖 것들을 다 만들어 쓴다. 책꽂이, 책상, 선반, 책걸침대, 안경집, 바둑판 등등. (이런 물품들은 불법소지물로 정기 검방 때에 재수 없게 걸리면 다 빼앗겨 버리지. 공들여 만든 것을 빼앗기면 억울하지만 그건 그때뿐이다. 빼앗기면 또 만들면 되니까.) 징역쟁이들의 솜씨가 얼마나 좋은지 너도 한번 보면 감탄을 금치 못할 것이다. 가느다란 칫솔대에 여체를 완벽하게 조각하질 않나, 밥풀을

이겨 탐스런 돼지를 만들지 않나……. 만약 이러한 물건들을 모아 밖에서 전시회를 열면 큰 인기를 끌지 않을까 생각해 본다. 징역에서 만들어 낸 물건들이 이토록 정교하고 기상천외한 것은 아마도 주체할 수 없는 시간과 에너지를 쏟아 부을 수 있는 곳이 따로 없기 때문일 것이다.

제비꽃
어릴 적 오랑캐꽃이라 불렀던

오늘 운동시간에 동료들과 땅탁구('교도소 운동'으로 땅에 금을 그어 놓고 나무판 라켓과 고무공을 가지고 하는 탁구경기) 한 판을 친 다음, 마무리 운동 삼아 담벼락을 따라 조깅을 하는데, 갑자기 눈 아래가 훤한 거야. 옥담(교도소의 담) 아래 땅하고 맞닿는 부분을 따라 제비꽃이 일렬로 쭈욱 피어난 것 아니겠니! 그 언저리는 재소자들이 늘 밟고 다니는 장소라서 꽃은커녕 풀도 자라기 힘든 곳이었는데 이렇게 어여쁜 꽃이 한꺼번에 피어나다니! 그 꽃들을 헤아리느라고 운동 마감을 알리는 호각소리가 날 때까지 몇 차례나 조깅을 반복했는지 모르겠다. 사방에 들어오면서 제비꽃을 한 움큼 뜯어 왔다. 그림도 그리고 맛도 보려고.

제비꽃은 한번 뿌리를 내리면 같은 자리에서 해마다 꽃을 피우는 다년생 야초다. 아무 데서나 잘 자라는데다 꽃도 예쁘고 나물로 해 먹을 수 있어서 오래 전부터 사람들의 사랑을 받아 왔지. 어

렸을 때 자주 들었던 오랑캐꽃(제비꽃의 다른 이름)이라는 이름은 그 옛날에 이 꽃이 필 무렵인 춘궁기만 되면 중국 변방의 오랑캐들이 쳐들어와서 그리되었다 하는구나. 아니, 어쩌면 오랑캐에게 양식을 다 빼앗겨 버리고 나물로나마 연명하려고 들판을 헤매다 마주친 꽃인지도 모르지. 꽃의 이미지와는 전혀 어울리지 않는 이런 이름 뒤에 우리 민족의 아픈 역사가 숨어 있을 줄은 몰랐을 거다.

제비꽃은 워낙에 품종이 많아서 일일이 헤아리기 힘들 정도이다. 꽃은 비슷해도 이파리가 제각각인 것이 신기할 정도다. 사람들에게 가장 잘 알려진 변종은 봄이 되면 제일 먼저 길거리 화단을 장식하는 팬지이다. 우리말로 삼색제비꽃이라고 하지. 나도 원예부에서 이태 연속 팬지를 길러 보았는데, 몸통에 비해 터무니없이 큰 꽃잎은 그 색깔이 오묘하기 짝이 없다. 꽃잎의 색깔로 볼 적에 아마도 팬지만큼 다양하고 화려한 색을 가진 화초는 없을 것이다. 꽃이 비정상적으로 크다 보니 심한 바람이나 비를 맞으면 쉽게 망가지는 게 흠이다. 팬지가 아무리 화려하고 멋있다 한들 내 눈에는 야생 제비꽃만 못하다. 화려하게 뽐내는 것보다 수줍은 듯 단정하게 피어 있는 꽃에 더 눈길이 가는 걸 어쩌랴.

제비꽃이 자라는 것을 관찰해 보면 이상한 점을 발견하게 된다. 바로 씨를 맺는 방식이다. 내가 이놈을 처음 우리 화단에 옮겨 온 것은 꽃이 막 질 무렵이었다. 이상하게 씨도 맺지 않고 그냥 시들어 버리더라구. 그런데 그로부터 몇 달에 걸쳐 계속 꽃몽오리 비슷한 것이 이파리 사이에서 올라오더니 끝이 세 갈래로 갈라지면

서 씨앗을 만들어 내는 거야. 나는 처음에 이놈들이 내가 사방에 갇혀 있는 사이에 얼른 꽃을 피우고 씨를 맺은 것으로 알았단다. 그런데 자세히 보니까 애초부터 씨방이 땅에서 올라오는 거야. 참 희한한데. 나중에 알아보니 이런 것을 자가수정이라 하더군. 제비꽃이 이런 방식을 취하게 된 것은 아직 벌, 나비가 활동하기도 전에 꽃을 피우기 때문에 어쩔 수 없었대나. 하긴 곁에 이성이 없으면 스스로 해결해야지…….

제비꽃은 향기가 좋아 향수와 염료의 원료로 쓰이는가 하면, 약초로서 관절염, 불면증, 변비 등에 잘 들고, 살균작용이 강해 부스럼이나 타박상에 이파리를 짓찧어 상처에 바르면 잘 낫는다 한다. 특히 생손 앓는 데는 직방이라나.

제비꽃을 모듬야초무침에 넣으면(불행히도 이 안에는 따로 무쳐 먹을 만큼의 제비꽃이 없다) 보라색 꽃이 구미를 당긴다. 밥 먹을 때 꽃을 하나 따서 밥숟갈 위에 얹어 먹으니 향긋한 게 이색적인 맛이 나더구나. 대부분 사람들이 나물 하면 야초의 잎과 줄기만을 떠올리지

만, 사실 꽃까지 먹을 수 있는 야초들이 많다. 나는 나물을 할 때 꽃이 보이면 웬만한 것은 다 따다 넣어서 무쳐 먹는다. 특히 샐러드를 만들 때 넣으면 독특한 향기를 즐길 수 있다. 단, 치자꽃이나 국화처럼 향내가 너무 짙은 것들은 넣지 않는 게 좋다. 느끼하거든. 내가 제일 좋아하는 꽃은 뭐니 뭐니 해도 호박꽃이다. 호박꽃이 피기 전의 뾰족하게 생긴 꽃망울을 따다가 호박잎과 함께 쪄서 먹으면 맛이 그만이다. 이렇게 찐 호박꽃을 서너 송이 하얀 접시에 담아 된장그릇과 함께 상에 놓아 보아라. 얼마나 보기에 좋다구. 밖에 나가면 해 보고 싶은 것 중의 하나가 각종 꽃을 따서 꽃샐러드를 한번 만들어 먹는 것이다. 멋질 것 같지 않니?

모듬풀 물김치

날씨가 무척 더워졌다. 햇볕
이 뜨거워 운동하는 게 오히려 고통스러울 지경이다. 그보다 상추
밭에 물을 주지 못해 걱정이다. 상추는 물을 먹고 큰다고 할 수 있
을 정도로 물을 자주 주어야 하는데…….

우리 상추밭 애기를 들려줄까? 연초에 올해 농사 계획을 짤 때
기존의 야생초 화단 옆에 좁다란 밭고랑을 4개 만들어 상추와 들
깨를 심기로 했단다. 일단 어찌어찌 해서 밭은 만들었는데 씨를
구하지 못해 두 달 남짓 놀리고 말았지. 너무 늦어져서 차라리 다
른 야생초나 심어 버릴까 하고 망설이고 있었다. 그러던 차에 화
단을 자세히 들여다보니 상추 싹이 여기저기 돋아나 있는 게 아니
겠어? 분명히 씨를 뿌린 적이 없는데 말이야. 알고 본즉 작년 어
디에선가 씨가 날아들어 돋아난 상추 몇 포기에서 씨를 받아 갈무
리해 둔 게 있었는데, 내가 이것을 잃어버리고 만 거야. 그런데 옆
방의 이 선생님이 작년에 상추씨 바심하고 남은 찌꺼기를 버리
지 않고 두었다가 그냥 장난 삼아 뿌렸던 모양이야. 나는 그런 줄

도 모르고 그 위에 작년에 갈무리해 둔 온갖 야생초 씨들—비름, 달맞이꽃, 산부추, 명아주, 황금 등—을 무더기로 뿌렸지. 제일 먼저 얼굴을 내민 게 상추였기 때문에 처음엔 아무래도 상추 위주로 손질을 했지. 그런데 야생초 싹들이 줄줄이 얼굴을 내미는 통에 이들을 모두 살리자면 상추를 옮겨 심지 않으면 안 되었단다. 해서 튼튼한 상추 모종들은 모조리 새로 만든 밭에 옮겨 심어 겨우 의도했던 상추밭을 만들게 된 거야.

화단은 주로 이 선생님과 내가 가꾸는데 경작 방법에 관한 의견 대립으로 곤란한 때가 적지 않아. 이 선생님은 상추, 들깨 등 재배 채소를 중히 여기고 그것 한 포기 살리기 위해서 주변의 야생초들을 깔아뭉개는 일을 서슴지 않고 하시는데 나는 그것이 못마땅해서 번번이 제동을 걸지. 제발 그러지 마시라고. 상추 옆에 있는 풀들에 이파리가 제법 달리면 내가 다 따 먹을 테니 미리 제거하지 말아 달라고. 내게는 상추나 비름이나 명아주나 다 똑같은 야채로 보이거든. 나로 말할 것 같으면 야생초 사이에 상추가 나면 오히려 상추를 뽑아 버리는데, 이 선생님은 주변의 야생초들을 뽑아 버리려 하니 내 속이 편하겠어? 상추야 상추밭에 집단적으로 재배하고 있으니 상추 때문에 야생초 화단에 있는 야생초를 다친다는 것은 결코 안 된다는 게 내 입장인데, 이 선생님은 내가 '토깽이'처럼 풀만 뜯어먹는다고 언제나 마뜩찮은 눈길로 보고 있는 거야.

이 선생님과 함께 화단을 가꾸면서 두 사람의 세계관이 완전히

다르다는 것을 시시때때로 느낄 수밖에 없어. 나는 단일경작을 싫어하는 반면, 이 선생님은 좋아하는 야채 한두 가지만 집중적으로 키우고 나머지 풀들은 되도록 제거하거나 거름 정도로 쓰려 하지. 나는 화단에 저절로 나거나 씨뿌려 돋아난 온갖 풀들이 제멋대로 자라게 내버려 두다 어느 정도 자라거나 촘촘해지면 그때그때 솎아 먹기 때문에 어느 것 하나 버릴 수가 없는 거야. 내가 풀 좀 뽑아 버리지 말라고 하도 사정을 하니까 이 선생님은 내가 보지 않을 때 눈에 거슬리는 풀들을 슬쩍 뽑아 버리곤 하지. 하지만 운동 시간에 나가 화단 살펴보는 게 내 일인데 그걸 모를 리가 있니? 한 두 주 전쯤엔 화단 한 귀퉁이를 뒤덮다시피 했던 달맞이꽃 어린것들을 한 바구니 캐서 나물로 무쳐 먹었단다. 지금은 그 자리에 비름이 무럭무럭 자라고 있지.

3일 전에는 화단 정리도 할 겸 웃자라거나 촘촘하게 난 풀들을 가짓수대로 솎아 내었다. 으레 하던 대로 무쳐 먹을까 하다가 한 번 물김치로 담아 보기로 했다. 한 달 전에 돌나물로 물김치를 담가 먹었더니 맛이 아주 좋길래, 이번에는 각종 풀들을 모듬으로 담가 본 거지. 이름하여 모듬풀 물김치. 오늘 점심식사 때 뚜껑을 열었는데 맛이 일품이다. 조금 씁쓰름했지만 시원한 게 오후의 더위를 말끔히 씻어 주더구나. 이곳의 젊은 동료들도 처음엔 반신반의하며 꺼리는 눈치이더니 일단 맛을 보고 나서는 모두들 좋다고 난리야.
　사실 모듬풀 물김치는 기존의 무, 배추 물김치와 비교해

볼 때 영양가나 신선도, 기력(氣力)에 있어 비교도 되지 않을 정도로 월등하다. 자연상태에서 천지의 기를 듬뿍 받고 자라난 야생초를 십여 가지 뒤섞어 발효시킨 것이니, 밋밋한 배추 한 가지로 만든 것과 비교가 되겠니? 이번 물김치에 들어간 재료를 생각나는 대로 적어 볼까? 씀바귀, 민들레, 달맞이꽃, 명아주, 고들빼기, 제비꽃, 뽀리뱅이, 조뱅이, 방가지똥, 질경이, 박주가리덩굴, 돌콩, 닭의덩굴, 들깨, 사철쑥, 개망초……, 그 밖에 몇 가지 더 들어갔는데 기억이 잘 나지 않는구나. 화단에 있는 것들을 다 뜯어 모은 거나 다름없지. 너도 한번 맛을 볼 기회가 있으면 좋으련만…….

풀과 꽃이
만발한 교도소

오랜만에 햇볕이 쨍쨍.

 널어놓은 담요가 잘도 마르니 고맙기도 하구나. 담요 너는 터한쪽 구석에 담으로 둘러친 공터가 있는데, 내년 농사 지을 두엄을 만들려고 지난 몇 달 동안 틈틈이 땅에 난 야초들을 뽑아서 쌓아 두었단다. 그래 놓고 일주일에 한 번 담요를 널러 갈 때마다 그 위에 쉬도 하고 또 풀도 뒤집어 주면서 애지중지 모셔 왔지. 그런데 지난주 비가 부슬부슬 오던 날 운동을 하던 민경이가 큰일 났다고 막 소리를 지르는 거야. 웬일인가 하고 허겁지겁 달려가 봤더니, 아뿔싸! 소내 청소부들이 그 두엄 더미를 싹 깔아뭉개 버린 게야! 봄부터 지금까지 그곳만은 청소(주로 풀뽑기)를 하지 않더니, 갑자기 무슨 바람이 불었는지 모르겠어. 내가 유일하게 야생풀을 뜯어 먹는 장소마저 청소하기 시작했으니 이제 이 안에서 풀뜯어 먹기는 다 틀려 버린 거야. 교도소가 왜 이리 삭막해지는지 모르겠어. 풀 한 포기 없이 삭막해야만 잘 돌아간다고 여기는 건가? 심지어 구 척 담장 밑에 한 줄로 쪼로니 피어난 제비꽃마저

57

깨끗이 뽑아 버리니 말이야. 운동장을 달릴 때 그나마 눈요기가 되었던 고 여리고 여린 제비꽃마저 사그리 뽑아 버려야 속이 시원하단 말인가?

6년 전 처음 이곳에 왔을 땐 그래도 마당이 푸릇푸릇한 게 그리 심심치 않았단다. 우거진 풀밭은 아닐지라도, 군데군데 풀들이 자라고 그 사이사이엔 이름 모를 야생화가 고개를 내밀곤 했지. 그 무렵 이 안에 자생하던 야생초 종류가 무척 많았는데, 지금은 겨우 몇 가지밖에 남지 않았다. 2~3년 전부터 청소원들을 시켜 그 악스럽게 풀들을 없애버리기 시작했는데, 그걸 볼 때마다 내 옷을 벗기는 느낌이 든다. 그런데 이제는 사람들 눈에 띄지도 않는 후미진 곳에 나 있는 풀마저 깡그리 밀어 버리니! 이제 여기에 남은 색깔은 회색과 땅색 그리고 우리가 입은 옷 색깔인 파란색밖에 없다. 도화지를 한번 펼쳐 놓고 물감을 풀어 보아라. 회색과 칙칙한 파란색과 흰색에 가까운 땅색밖에 없으니, 아무리 이 셋을 섞어 보아도 따뜻하고 안온한 느낌은 건져 낼 수 없을 거다.

교도소가 글자 그대로 죄인을 순화시키는 곳이라면, 건물과 그 대지도 인간성을 순화시킬 수 있도록 만들어져야 한다. 그러나 현실은 정반대. 어떻게 하면 더욱 삭막하고 직선과 직각만이 판을 치는 환경이 되게 할까 하고 온갖 노력을 다 기울이는 것 같아. 이런 생각을 해 본다. 곡선이 많은 건물과 마당에 풀과 꽃이 풍성한 곳에서 생활한 재소자들은 나중에 사회에 나가서도 재범률이 현저히 떨어지지 않을까 하는.

58

그리운 얼굴들
요료법 I

보리밥에 꽁치 한 도막 먹고
소금으로 양치질을 한다.
하늘색 법무부 담요 위로
비스듬히 기대어 누워
팔베개 뒤로하고
한 평 넓이 천장을 올려다본다.
담배는 끊은 지 오래고
티브이도 말동무도 없다.
아직 조금은 더 기다려야
거미 친구들도 얼굴을 내밀리.
언제나 이맘때면
세상에서 가장 편한 자세로
창살 너머 노을진 하늘을 바라다본다.
그렇게 하염없이 바라보고 있노라면
허공 가득 떠오르는
그리운 얼굴들……

선아, 이곳의 하루 중 가장 스산한 때가 바로 이때다. 저녁 식사를 마치고 서산에 해가 떨어질 때까지의 몇십 분. 아마도 노을빛에는 사람의 심금을 건드리는 특별한 파장이 숨겨져 있는 모양이다.

요료법을 시작한 지 벌써 한 달 반이 넘었지만 별 뚜렷한 자각 증세가 없다. 있다면 전에보다 입맛이 좋아졌다고나 할까? 나는 무슨 치료 효과보다도 평상시의 건강유지와 질병예방 차원에서 하고 있으니 남에게 들려줄 만한 호전반응이 없다. 물론 기관지와 허리에 지병을 가지고 있는 것은 사실이나 그리 심각한 수준은 아니란다. 내 옆방의 이 선생님도 내가 꼬드겨서 같은 날 시작했는데, 선생님은 워낙 병이 깊어서인지 아직 차도가 없더군. 선생님은 두어 달 해 보고 효과가 없으면 그만둘란다고 말씀하시지만 칠십 노인의 깊은 병이 겨우 두어 달 만에 차도가 있겠니? 계속하시도록 옆에서 설득해야겠다. 심장병, 고혈압, 치질 등을 앓고 있는 노인에게 약이 무슨 소용이 있겠니? 약이 없어서 고치지 못하는 병이 아닐진대 차라리 돈 안 들고 무해한 요료법이나 민간요법을 써보는 게 낫지. 그런데 사실 요료법(우리는 이 안에서 일본말로 '한 잔'이라는 뜻인 '이찌고뿌'로 통한다)이 쉬운 것이 아니다. 처음엔 호기심으로 잘도 했지만 횟수가 거듭될수록 거부감이 생긴단다. 이것도 완전히 습관이 되기까지에는 힘든 적응 과정이 필요한 모양이다.

나는 매일 아침 이찌고뿌한 뒤에 전날 만들어 놓은 쑥 우린 물을 마심으로써 입가심을 한다. 사실 이찌고뿌보다도

쑥 우린 물에 적응이 되어서 그것을 마셔야 속이 개운해지는 것 같다. 쑥은 지난 단오 때 고생 끝에 여기저기서 뜯어서 말린 것이 조금 남았는데, 아껴 먹으면 이번 겨울은 보낼 것 같구나. 야생초 화단 옆에 아예 밭고랑을 하나 파서 쑥밭을 만들어 놓았단다. 얼마 전에 쑥뿌리를 캐다가 잔뜩 묻어 놓았으니(운동장에서 맨손으로 캐다가 손이 다 까졌음) 내년 봄엔 풍성한 수확이 있을 것이다. (큰일이다. 징역 나갈 생각은 아니 하고 내년 농사지을 궁리만 잔뜩 하고 앉았으니…….)

요즘 컨디션과 기분 같아서는 매일 이찌고뿌와 쑥 우린 물 한 잔만으로도 일 년 내내 잔병 따위는 얼씬거릴 것 같지가 않구나. (그런데 이런 말하고 나면 꼭 병난단 말이야.)

입안에서 살살 녹는 밤

밥 때가 되었는데 아직 밥이 올 생각을 아니 하는구나. 허기를 조금이라도 달래 볼까 하고 낮에 받아서 남겨 두었던 삶은 밤을 하나 들어 이빨로 반으로 쪼갠다. 웬 밤이냐구? 오늘은 개천절이라 아침에 보리 섞은 밥 대신 흰쌀밥이 나오고 점심에 삶은 밤 몇 알이 특식으로 나왔단다. 먼저 앞니를 사용하여 대충 갉아먹은 다음 숟갈로 마저 퍼 먹는다.

보통 숟갈은 커서 잘 안 되니 조그만 것을 찾아본다. 지난 8·15 광복절 때 특식으로 아이스크림을 나누어 주었는데, 그때 퍼 먹고 버리지 않고 둔 조그마한 플라스틱 숟가락이 있거든. 교도소에서는 모든 물자가 귀하다. 이런 작은 숟갈에서부터 먹고 남은 컵라면 용기까지 함부로 버리지 않고 두었다가 여러 가지 용도로 쓴단다. 당장은 쓰지 않아도 갖고 있으면 언젠가 쓰게 마련이지. 지난번의 아이스크림 통은 깨끗이 씻어서 양념통으로 쓰고 작은 플라스틱 숟갈은 지금 밤을 퍼 먹는 데 쓰잖니? 이렇게 물건들을 버리지 않고 자꾸 쌓아 두다 보면 한 평도 못 되는 방이 점점 좁아

진다. 그래서 날 잡아서 사용 빈도가 아주 낮은 것부터 추려서 버린단다.

쓸모 있는 것을 잘 모으는 것도 중요하지만 쓸모없는 것(실제론 없지만)을 잘 버리는 것도 징역을 요령 있게 사는 방법이다. 그러니까 자기 방의 짐의 총량은 들어오고 나가고 해서 항상 일정하기 마련이지. 그래도 오래 살다 보면 짐이 자꾸 늘어나서 한계를 넘기도 하지. 나는 어려서부터 집안 어른들이 물건 하나 함부로 버리지 않는 것을 보고 자라서인지, 아무리 하잘것없는 물건이라도 함부로 버리질 못하겠더라. 요즘 젊은애들이 양말이나 빤스를 몇 번 입고 더럽다고 막 버리는 것을 보면 도무지 이해가 가질 않는구나. 정말이지 교도소에서 물건 버리는 것을 보면 겁이 날 정도다. 짬밥 버리는 것도 그렇고. 이렇게 자원이 낭비되고도 이 사회와 자연이 온전할까를 생각하면 고개가 절로 흔들어진다.

나는 옛날에 자취할 때도 그랬지만 이담에 나가서 살게 되면 부득이한 경우를 빼고는 살림에 필요한 모든 것을 스스로 만들거나 재활용품을 사용할 것이다. 이미 이십대 젊은 시절부터 지금까지 그렇게 살아왔기 때문에 어려울 게 전혀 없을 거야. 미국에서 자취할 때도 생활에 필요한 것을 거의 모두 길거리에서 줍거나 중고품 시장에서 사곤 했지. 또 내가 무엇이든 스스로 만들어 쓰는 것을 좋아하기 때문에 웬만한 것은 다 만들어 쓸 거야. 어떻게 보면 나 같은 사람은 소비를 미덕으로 하는 자본주의 사회에서 영 환영받지 못할 사람이지. 그러나 나는 자본주의의 낭비로부터 거저먹

고 사는 법을 알고 있으니 자본주의를 욕할 수도 없지. 아무튼 소비를 으뜸으로 여기는 이런 형태의 사회는 무한정 계속될 수 없을 것이다. 지구의 자원이 한정되어 있으니까.

아, 아까 밤 까먹는 얘기 하다가 엉뚱하게 자본주의 얘기로 빠지고 말았네. 이 안에서 밤은 어쩌다 먹어 보는 귀한 것이라서 밤 부스러기가 행여 헛군데로 떨어질까 사뭇 조심하면서 작은 숟갈로 긁어 먹는다. 밥 먹기 전이라 배가 고파 그런지 입에 들어간 밤이 살살 녹는 게 맛이 기가 막히다. 언뜻 보기에 다 먹은 것 같아도 다시 붙들고 숟갈로 구석구석 긁어 보면 밤이 마치 대팻밥처럼 꽤 나온단다. 알뜰하게 긁어 먹고 물을 한잔 마시며 입맛을 다신다.
그러구 보면 맛이란 것은 음식 자체에서라기보다 허기와 정성에서 나오는 것이 아닌가 하는 생각이 든다. 적당히 배가 고프고, 음식을 만드는 정성과 먹는 정성이 합쳐지면 어떤 음식이라도 맛이 있을 거라는 거지. 그러고 보면 젊은 시절 내가 집에 있을 적에 왜 그리 밥을 먹기 싫어했는지 이해가 간다. 먹을 것 귀한 줄 모르고 마음이 닫혀 있으면 맛도 제대로 느끼지 못하는 법이다.

선아, 오늘 개천절 하루 어찌 지냈는지? 오늘 같은 날 가족들과 함께 밤나무 농장에라도 가서 밤 따기 시합을 벌이면 얼마나 좋겠니? 저녁엔 따온 밤을 푹 삶아서 다 함께 까먹고. 내가 나가면 꼭 그렇게 해 보자구나.

야초차에 탐닉하다

현미(玄微). 차(茶)에 통달한 옛 사람이 있어 아득하고 미묘한 차의 맛을 이렇게 표현했다 하더구나. 어쩌면 이 표현도 억지에 가까운 것이었으리라. 어찌 필설로 그 심심미묘한 자리를 나타낼 수 있겠느냐.

'징역에 앉아서' 차 맛을 알았노라 한다면 말도 안 되는 소리라 할 게 틀림없다. 그도 그럴 것이, 녹이 벌건 수돗물을 연탄불에 펄펄 끓인 뒤 그것으로 척박한 교도소 운동장에서 키운 야생초 이파리를 울궈먹는 것이니 현미(玄微)는커녕 경박(輕薄)이란 말로도 적절치 않다 할 거다. 사실이 그래. 이곳에선 다도(茶道)를 음미할 만한 요소를 단 하나도 갖출 수가 없어. 사실 6년 전 이곳에 처음 왔을 땐 물이 그렇게 좋을 수가 없었다. 대전교도소에서 퀴퀴하기까지 한 수돗물만 마시다가 여기에 오니 물맛이 마치 미네랄 워터처럼 싱싱하더라구. 그래서 모두들 생수라면서 수도꼭지에 입을 대고 벌컥벌컥 마셔 댔지.

그러나 그 좋은 시절이 그리 오래 가지 않았다. 2년 남짓 지나니 소독약 냄새가 점점 짙어지면서 근래엔 녹물이 엄청나게 나오는 게야. 어느 정도냐 하면, 수도꼭지를 적어도 5분 이상 틀어 놓아야 물 색깔이 조금 투명해지는 정도란다. 30분 이상 틀어 놓은 물도 흰 그릇에 받아 하룻밤만 그대로 두면 벌건 녹이 가라앉을 정도지. 이놈의 녹물 땜에 진저리가 난다. 우리 몸에 산화철이 어느 정도 쌓이면 부작용이 일어날까 하는 것이 요즘의 내 관심사란다. 좌우간, 나는 이런 물을 끓여서 찻물로 사용하고 있다. 다구(茶具)로는 교도소 지급품인 노란색 알루미늄 주전자와 노란색 플라스틱 컵을 쓰고. 이런 형편을 아는 사람이라면 내 입에서 다도란 말이 나오리라 기대할 수 없을 거다.

그럼에도 불구하고 나는 이 편지의 서두에 '현미(玄微)!'라고 운을 떼었다. 오늘 한 잔의 차를 마시고 나도 모르게 떠오른 말이지. 어디서 주워들은 말을 그저 기억해 낸 것이 아니라, 차를 마시는 내 입과 그것을 받아들이는 내 온몸의 감각이 그 말을 저절로 떠오르게 한 거야. 해서 나는 다음과 같은 결론을 조심스럽게 내려본다. 다도의 형식과 조건을 갖출 수 없는 곳에서라도 성(誠)과 정(情)으로써 다도를 즐길 수 있노라고. 이런 말이 있다. 배고픔이야말로 최고의 식욕이라는. 거친 음식일지라도 배가 고플 때는 아주 맛있게 느껴지는 법. 이와 마찬가지로 정갈치 못한 물과 재료로 끓인 차일지라도 갈급한 자에겐 그것이 최고의 차인 걸 어쩌리!

각설하고, 요즘 내가 즐겨 마시는 차에 대해 잠깐 말해 줄게. 전에는 단순히 끓인 물에 말린 쑥이나 꿀풀 잎을 우려먹었는데, 요즘엔 복도에 난로가 놓인 덕분에 좀 다양하게 끓여 먹을 수 있게 되었단다.

　최근 개발하여 심심히 음미하고 있는 차는 이렇게 만든다. 먼저 바짝 말린 국화꽃 대여섯 송이와 산국꽃 한두 송이, 그리고 아니스 씨앗 두어 개(지난번 사회참관 갔을 적에 절에서 스님이 갈무리해 둔 것을 슬쩍해 왔는데 향기가 기가 막힘)를 망사주머니에 넣고 주전자에 물을 서너 컵 넣어 끓인다. 한 번 팔팔 끓으면 난로 뚜껑을 덮고 좀 약한 불로 뭉글하게 20분 정도 더 끓인다. 다 끓으면 한 컵 가득 따른다. 마지막으로 잘 말린 쑥 한 잎을 넣어 충분히 우려낸다. 그런 다음 자세를 편히 하고 느긋하게 마시는 거지. 여기서 중요한 것은 들어가는 재료 네 가지 중 어느 하나가 다른 것의 맛을 지배하지 않도록 잘 배합하는 거다. 이 네 가지 재료의 조화와 균형 상태를 찾아내기 위해 여러 번의 시행착오를 겪어야만 했지.

　네 가지가 완전한 조화를 이룬 맛은 제법 음미해 볼 만하다. 혀끝에서 살살 굴려 보면 4가지가 각각 느껴지는가 하면, 어떤 때는 두 가지 또는 세 가지가 합성되어 나타나는 맛도 있고, 4가지를 다 합친 맛도 있지. 결국 계산에 의하면 이 4가지가 배합되어 나올 수 있는 맛은 15가지나 되지만, 우리 혀가 그것을 다 알아낸다는 것은 쉬운 일이 아니다. 어쨌든 아직 이름 붙이지 못한 이 차의 맛을 헤아리는 시간이 나에게는 하루 중 가장 충만한 시간 중에

속한다. (지금 사용하고 있는 국화꽃은 맛과 향이 떨어지는 조생종인데, 현재 향기가 뛰어난 만생종을 말리고 있으니 한 달 뒤에는 차의 맛이 또 달라질 거다.)

내가 야초차에 탐닉하게 된 것은 다 산야초 박사 장준근 씨 덕이다. 처음 야생초 연구에 눈뜰 무렵 교재로 사용한 것이 그분의 책 ≪몸에 좋은 산야초≫(석오 출판사)였거든. 이 책은 4분의 3이 화보이고 나머지가 해설인데, 이 해설이 학문적 지식을 나열한 게 아니고 산야초 미치광이 장 박사의 경험담과 지식을 적어 놓은 거라서 아주 실용적이었거든. 제대로 맛을 내려면 솥에 올려놓고 덖어야 하거늘 여기서는 꿈도 못 꿀 일. 그래도 말린 것으로나마 이만큼 즐길 수 있음에 감사드려야지.

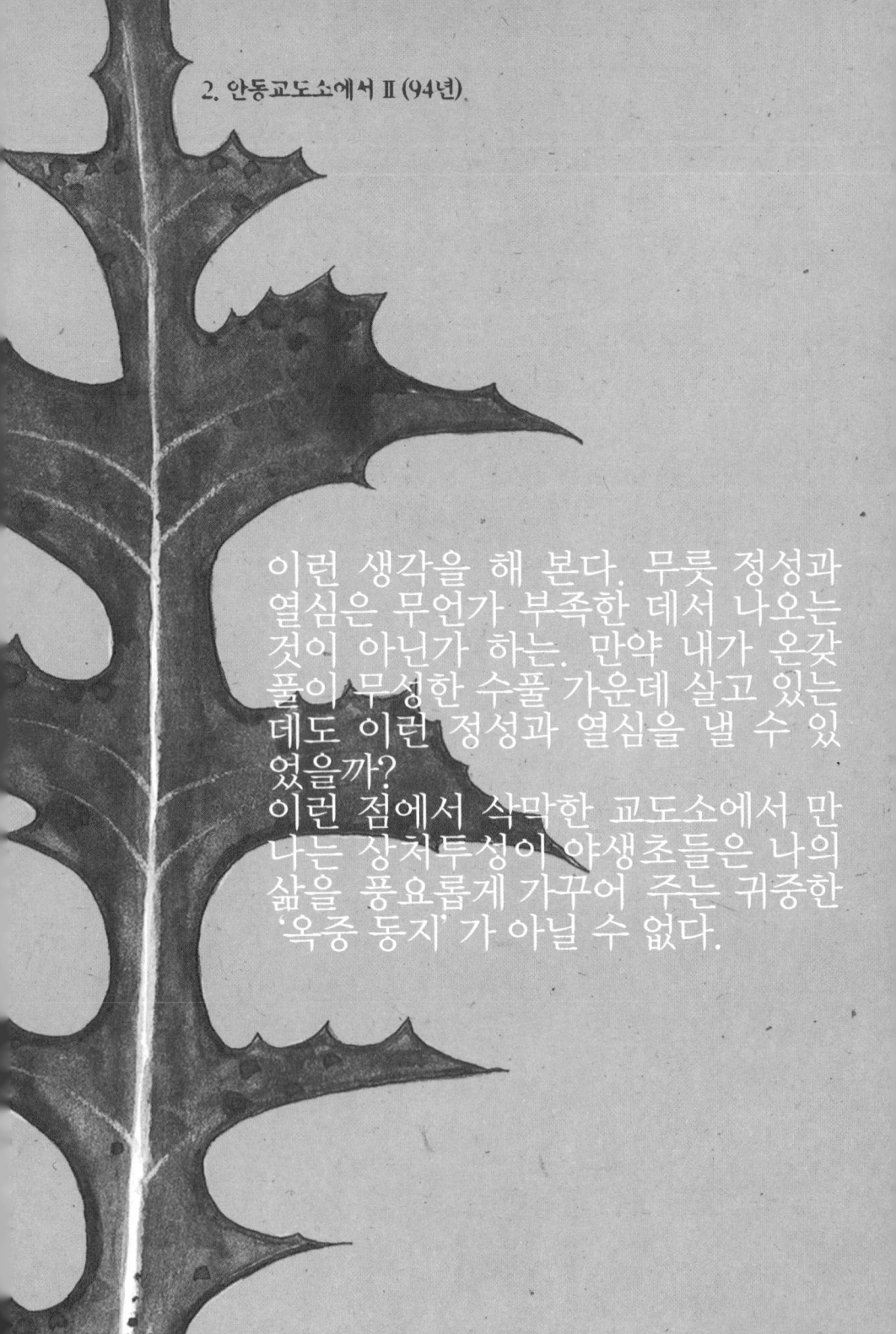

이런 생각을 해 본다. 무릇 정성과 열심은 무언가 부족한 데서 나오는 것이 아닌가 하는. 만약 내가 온갖 풀이 무성한 수풀 가운데 살고 있는데도 이런 정성과 열심을 낼 수 있었을까?

이런 점에서 삭막한 교도소에서 만나는 상처투성이 야생초들은 나의 삶을 풍요롭게 가꾸어 주는 귀중한 '옥중 동지'가 아닐 수 없다.

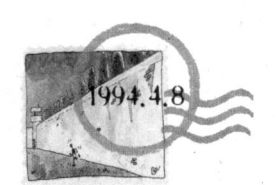

씨앗

그렇게도 비가 내리지 않더니 어제 해갈의 단비가 내려 주었다. 충분치는 않지만. 마침 비오기 직전에 파종을 마쳐서 얼마나 다행인지! 올 농사 계획은 이렇다. 상추 세 고랑, 쑥갓 한 고랑, 질경이 한 고랑, 들깨 두 고랑, 쑥과 꿀풀을 합해 한 고랑, 이렇게 모두 여덟 고랑이다. 그리고 따로 꾸민 야생초 화단에는 다년생 야생초들이 속속 싹을 내밀고 있다. 지금 한창 기세를 올리고 있는 것은 2년생 부추다. 덕분에 운동시간에 나는 몹시 바쁘다. 테니스도 한 게임 쳐야지, 채소밭에 물도 주고 풀도 뽑아 주어야지. 풀들이 자라면 더욱 바빠진다. 그것을 뜯어다 씻어서 요리하는 것도 내 몫이거든. 말하자면 나는 우리 사동의 농부 겸 요리사인 셈이지.

채소밭에 뿌릴 씨앗을 구하는 경로는 대체로 세 가지이다. 먼저 텃밭을 가꾸고 있는 다른 공장에서 얻는다. 대개는 자기 밭에다 뿌리고 남은 것이 있거든. 물론 그 공장 안에 친한 사람이 있는 경

우에는 얻기가 쉽지만, 그렇지 않을 때는 오징어라도 몇 마리 사주면서 얻어 온단다. 두 번째는 평소에 잘 사귀어 둔 담당 교도관을 통해 구하는 거다. 징역도 '작은' 사회이기 때문에 물자 유통을 원활히 하려면 두루두루 잘 사귀어 놓아야 한다. 세 번째는 먼저 출소한 동료에게 부탁하여 구하는 것이다. 이번 것은 작년에 출소한 한 후배가 우편으로 보내 준 것이다.

나는 먼저 나간 후배에게 토종 씨앗을 좀 구해 달라고 부탁을 하였건만 편지와 함께 보내온 씨앗들은 일반 종묘상에서 파는 것이었다. 자기 어머니가 시골에서 농사를 지으신다 하여 특별히 부탁했는데 어머니 집에도 토종 씨가 없다는 거야. 이해가 갔다. 요즘같이 상업화된 시대에 어딜 가나 싸고 좋은 수입개량종 씨앗이 널려 있는데 누가 힘들게 토종 씨앗을 간직하고 있겠니? 게다가 씨앗이란 것은 한두 해 재배하지 않으면 저절로 없어지고 마는 것이니. 토종이 사라진 사회, 토종이 사라져도 아무도 슬퍼하지 않는 사회, 그런 세상에 살고 있다, 지금 우리는.

끈기를 가지고 행하되
조화와 균형 속에서!

"오 감미로워라 가난한 내 맘에 한없이 샘솟는 정결한 사랑
오 감미로워라 나 외롭지 않고 온 세상 만물 향기와 빛으로
피조물의 기쁨 찬미하는 여기 지극히 작은 이 몸 있음을"

(성 프란체스코의 '태양의 찬가' 중)

창문을 열면 반 잘린 앞산이 눈앞에 다가오는데(바로 앞에 있는
사동 건물 때문) 요즘 짙은 아카시아 향기 때문에 속이 다 울렁거
린다. 눈을 들어 산을 바라보면 세 가지 초록빛이 마치 경쟁이나
하듯 내 눈을 즐겁게 해 주고 있다. 우중충한 녹색의 소나무와 5
월의 수분을 담뿍 빨아들이고 있는 신록의 참나무, 그리고 위세를
부리듯 온 산에 출렁이는 아카시아의 흰빛 초록. 햇빛에 농익어
모두 같은 색깔의 초록이 되기 전에 실컷 봐 두어야겠다.

오늘은 낮 동안 줄곧 그림을 그렸다. 푸른 하늘을 배경으로 한

해바라기 꽃무리인데 짙푸른 하늘색 내기가 아주 힘들었다. 그림을 그리면서 늘 느끼는 것이지만, 한 번으로는 대상을 제대로 파악할 수 없다는 것이다. 대상을 아무리 수십 수백 번 들여다보아도 직접 그려 보지 않고는 제대로 파악한 것이 아니다. '백문이불여일견(百聞而不如一見)'이란 말이 딱 맞는다. 그런데 한 번 그려 봐서는 부족하다. 두번 세번 그려 보면 처음 그린 것이 얼마나 허술하고 엉성한 것인지 알게 되지.

또 한 가지. 디테일과 전체와의 조화 문제. 디테일 처리에 빠져서 시간 가는 줄 모르고 그리다 보면 전체적 조화에 문제가 생기는 경우가 많다. 대부분의 초보자들은 디테일이 모여서 전체적 조화를 이루는 것으로 알고 디테일에 치중을 하지만, 사실은 그 반대다. 디테일은 전체와의 관련 속에서만 의미를 가질 수 있다. 그래서 한번 그려 놓고 꼭 전체와의 조화를 확인해 보아야 하는 거다. 아니 애초에 전체와의 조화 속에서 디테일을 그려 나가야 한다. 이 두 가지 원칙은 인생살이에도 그대로 적용이 된다. 첫째, 실천의 중요성, 실천을 하되 지속성이 있어야 할 것. 둘째, 어떤 일을 할 적엔 반드시 전체와의 연관 속에서 그 일을 추진할 것.

아, 우리는 얼마나 자주 실제로 하지는 않으면서 머릿속으로 쌓고 부수고 쌓고 부수고, 입으로 나불나불 대다가 세월만 보내었던가! 어떤 것이 좋아 보인다고 앞뒤 헤아리지 않고 그것에만 탐닉하고 좇아 다녔던가!

"끈기를 가지고 행하되 조화와 균형 속에서!"

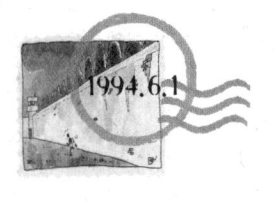
1994.6.1

야생초들은
귀중한 옥중 동지

요즘 나는 화단에서 몇 가지 풀들을 뜯어다 말리고 있다. 올핸 좀 다양한 야생초차를 해 먹으려고 지난해부터 준비를 하긴 했는데 그리 신통찮을 것 같다. 쑥은 아직 활착이 덜 되어 이파리가 제대로 피질 않은 데다 토질의 영향을 받는지 우리 운동장 같은 박토에서는 잘 되질 않더라구. 질경이는 모조리 황갈색 반점이 드는 병에 걸려 채취 불가능. 꿀풀 하나 정도가 겨우 수지를 맞출 만한데, 수량이 많질 않아 걱정. 박토에 난 풀들을 무슨 보물이라도 되는 양 하나하나 뜯어내는 내 모습을 상상해 보겠니?

어떻게 한두 개나마 건져 볼까 해서 운동화에 짓밟힌 질경이 이파리를 들고 이리저리 살펴보고 있노라면 불현듯 울화가 치밀기도 한다. 아, 눈앞에 보이는 저 야산에만 갈 수 있다면 깨끗하고 좋은 풀들을 지천으로 따올 수 있으련만 이 무슨 궁상이란 말인가! 하고 말이지. 이렇게 열악한 환경에서 자라난 것들이 약효가 제대로 있을까 하는 의문도 든다. 어쩌면 이런 희귀성과 열악함

때문에 더욱 정성스럽게 다루고 있는지도 모르지만.

  이런 생각을 해 본다. 무릇 정성과 열심은 무언가 부족한 데서 나오는 것이 아닌가 하는. 만약 내가 온갖 풀이 무성한 수풀 가운데 살고 있는데도 이런 정성과 열심을 낼 수 있었을까? 모르긴 몰라도 주어진 자연의 혜택을 느긋하게 즐기는 데 시간을 더 쏟았을 것이다. 물론 풍요로운 생활환경은 그 자체로 의미가 있는 것이지만, 열악한 생활환경에서도 마음먹기에 따라 얼마든지 풍요로운 삶을 꾸려 나갈 수 있다. 이런 점에서 삭막한 교도소에서 만나는 상처투성이 야생초들은 나의 삶을 풍요롭게 가꾸어 주는 귀중한 '옥중 동지'가 아닐 수 없다.

한밤의 콘서트

심야의 합창. 모두들 잠든 고요
한 밤에 기괴하게 울려 퍼지는 고양이들의 합창을 들어 본 일이
있니? 언제부터인가 이곳에 도둑고양이의 숫자가 늘어나기 시작
하더니 밤만 되면 떼거리로 몰려다니면서 괴이한 합창을 해 대곤
하는 거야. 시간은 대체로 새벽 서너 시 사이의 깊이 잠든 새벽인
지라 잠을 설치거나 하는 일은 드물지만 놈들 때문에 잠에서 일찍
깨어나는 경우가 허다하단다.

오늘도 마치 꿈속에서 들려오는 듯한 고양이 울음소리에 눈을
떠보니 놈들이 오늘 따라 사동 코앞에 자리를 잡고 합창 연습을
하고 있는 게야. 처음엔 잠을 더 자고 싶어서 애써 그 소리를 듣지
않으려 했으나 그러면 그럴수록 신경이 곤두서고 잠이 오지 않더
라구. 이왕 깬 잠이니 그렇담 오늘은 놈들이 가까이서 질러 대는
소리인 만큼 한번 자세히 들어 보자 맘을 먹고 온 신경을 귀에다
집중시켰지. 사실 그 전에는 놈들의 합창이 저 멀리 어디선가 마
치 어린아이 울음처럼 들리는 정도였기 때문에 제대로 '감상' 할

수 없었거든.

참으로 재미있는 게, 아무리 시끄러운 소리일지라도 그것과 자신을 일체화시켜 즐기다 보면 소음이 아니라 음악으로 들린다는 것이다. 사실 이 수법은 인도 명상법 중에 '소음을 이용한 명상'으로도 소개되어 있는 것이지. 마찬가지로 전에는 그저 시끄럽고 기분 나쁜 소음으로만 여겼던 고양이 울음소리가 오늘은 완벽한 음악으로 들리는 거야.

한 서너 마리쯤 될까? 일제히 자기 목소리로 울어대는데, 화음의 리드미컬한 전개나 멜로디의 고저 등을 보면 놈들이 '화성악'을 마스터했음이 틀림없지 싶더라구. 어쩌면 조화주인 '자연'께서 그런 화음이 울리도록 지휘했는지도 모르지. 마치 첼로처럼 득득 긁어 대는 놈, 바이올린처럼 고음을 지속적으로 내는 놈, 비올라처럼 새된 소리로 초치는 놈……. 게다가 놈들은 어찌나 변화무쌍하게 곡을 연주해 대는지, 잔잔히 흐르는 강물 같다가도 갑작스레 솟구치는 폭포수가 되는가 하면, 여울목을 만난 듯 여러 놈이 미친 듯이 한꺼번에 질러 대기도 하고, 좌우간 놈들의 지휘자는 천의무봉한 실력자임이 틀림없어. 순찰 도는 경비원의 구둣발 소리를 들었는지 어쨌는지 돌연 합창을 멈추는데, 그 마지막에 허공을 찢는 듯한 괴성이 곡이 끝난 후에도 오랫동안 잔향으로 남아 다시 현실로 돌아오는 데 무척이나 시간이 걸렸단다.

이렇듯 발호하는 고양이 무리를 남들은 어떻게 볼지 모르겠으나 나로서는 환영하지 않을 수 없다. 왜냐하면 놈들 덕분에 그 많던 쥐들이 쏙 들어가 버렸거든. 쥐들은 쥐 나름대로 귀여운 데가

있지만 무엇보다도 놈들은 내 농사를 망쳐 놓는 원흉인지라, 이런 망나니들을 쫓아 버린 고양이들이 어찌 고맙지 않겠니? 한 2년 전만 해도 이곳 안동교도소의 밤은 쥐들의 천국이었다. 오후 다섯 시가 되어 모든 철문들이 철컥하고 닫히기만 하면 이제부턴 내 세상이로구나 하며 쥐란 놈들이 사방에서 뛰쳐나오는 거야. 무료한 재소자들이 앞마당에 건빵이라도 몇 개 던져 주면 그것을 받아먹으려 일대 쟁탈전이 벌어지곤 했지. 놈들이 얼마나 많고 또 뻔질나게 드나들었으면 운동장 풀밭 사이에 오솔길이 다 생겼더라구. 놈들의 식성 또한 얼마나 게걸스러운지 운동장에 있는 먹을 수 있는 것은 그냥 내버려 두는 법이 없어. 갓 올라온 채소의 싹은 물론, 거름하려고 땅속에 묻어 놓은 짬밥까지 다 파먹는 게야. 놈들이 그렇게 극성일 때 운동장 구석구석에 난 야생풀을 닥치는 대로 뜯어 먹고도 유행성출혈열에 걸리지 않은 게 신기할 정도란다.

그러나 지금은 고양이 세상. 정말이지 올해 들어 쥐새끼 한 마리 구경 못했다. 과연 고양이 앞에 쥐란 말이 맞기는 맞는 모양이다. 그런데 이렇게 쥐가 씨가 말라서는 자칫 생태계에 균열이 나는 것은 아닐까 하는 우려가 아니 드는 것도 아니다. 그렇다고 쥐란 놈이 그리운 건 아니지만, 한 가지 동물만 설쳐 대고 돌아다니는 판이 왠지 내키지 않는 것은 어쩔 수 없구나.

꽃밭이 아니라
완존히 똥밭

어제부터 비가 내리기 시작.
앞으로 한 달간 본격적인 장마라 한다. 열무씨를 뿌려 놓았더니
이제 겨우 떡잎이 났는데, 장마비를 견뎌 낼까 모르겠다. 봄에 심
었던 열무는 벌써 싹 뽑아서 물김치를 한 번 담가 먹고 새로 뿌린
건데, 아무래도 장마비와 여름벌레 때문에 큰 기대는 하지 않는
다. 열무김치를 담글 때 쑥갓을 좀 넣었더니 맛이 한층 시원하고
좋더라구. 선생님들이 모두 맛있다고 입맛을 다셨단다. 이곳의 텃
밭은 주로 나와 이 선생님이 가꾸는데, 이 선생님이 똥거름을 얼
마나 좋아하시는지 어떤 때는 짜증이 날 지경이다. 매일같이 바가
지 하나를 들고 나와 하수도 구멍 앞에 서서는 사동에서 똥덩어리
흘러나올 때만 기다리시는 거야. 멀리서 그 모습을 보면 어찌나
우스운지. 똥만 걸렸다 하면(모두 미결수 똥) 그대로 퍼다가
호박이나 오이 밑에 퍼질러 놓으시는 거야. 똥이 물에 완전
히 풀려서 나오면 그 물을 퍼다가 온 화단에 똥물 세례를 퍼붓고.
그러니 이건 꽃밭이 아니라 완존히 똥밭인 게야. 낮에 보면 꽃밭

에 벌과 나비가 아니라 똥파리들만 득시글. 내가 제발 이파리 뜯어 먹는 상추랑 차 끓여 먹을 쑥에는 주지 말래도 막무가내야. 우리 사동 동료들 뱃속에 회충이 상당할 거야. 이런 말하면 회충약 먹으면 그만이래. 한번은 쑥잎을 뜯으려고 이파리를 헤쳤더니 웬 똥내가 코를 찌르는 거야. 들여다봤더니 그 속에도 똥덩이가 덕지덕지. 아이고 미치겠다! 이러다가 쑥차가 아니라 영락없이 똥차 먹게 생겼다. 하기사, 어릴 적에 순 똥물을 퍼다 기른 '뚝섬갈비'만을 먹고 자란 나인지라 이런 정도야 아무것도 아니지만, 그래도 거름의 주인공이 누구인지 모르고 먹는 거랑 알고 먹는 것은 큰 차이가 있다.

선아, 뚝섬갈비가 뭔지 아니? 너는 그때 어려서 잘 모르겠지만, 70년대부터 개발 붐이 일기 전까지 뚝섬 일대는 서울 시민들에게 야채를 공급하는 거대한 채소밭이었단다. 그 무렵에 밥 먹을 때는 밥상에 늘 퍼런 채소만이 나왔다. 고기는 특별한 날에만 먹었거든. 그래서 뚝섬에서 재배한 채소에다 제일 맛있는 갈비고기 이름을 붙여 우리들끼리 우스갯소리로 부르곤 했던 것이지. 그때는 서울의 대부분 가정이 '푸세식' 화장실이어서 그것을 퍼다가 채소를 길러 먹었단다. 그래서 그 무렵의 아이들은 늘 횟배를 앓아서 얼굴이 노리끼리했지. 사실 이런 위생적인 문제가 아니라면, 오물을 따로 버리지 않고 먹거리 생산에 이용했다는 점에서 생태환경적으로 보아 지금보다 나은 사회 시스템이었는데……

강도와 교도관

날씨가 무덥다. 장마라 하지만 하루 비 오고 하루 맑고 하니까 그래도 살 만하다. 특히 식물들은 하루가 다르게 뻗어 나가고 있다. 며칠 사이에 오이랑 호박이 많이 컸다. 특히 오이 하나는 팔뚝만 한 게 보기만 해도 탐스럽게 생겼다. 씨받이로 쓰기 위해 행여 일반수들이 따갈까 봐 호박잎으로 싸서 위장해 두었단다. 키우는 자식이 있으면 다 걱정하기 마련인가 보다. 매일 나가서 오이랑 호박 개수 세는 내 모습을 보니 웃음이 나온다. 아마 놀부가 매일같이 곳간 문 열어 놓고 점검하는 기분이 이랬을 것이다.

이왕 웃음이 나왔으니 오늘 사방 복도에서 겪은 재미있는 일을 하나 적어 볼까? 저녁 배식이 시작되기 전 고즈넉한 오후였지. 방 안에서 조용히 책을 읽고 있는데, 사방 소지(일본말로 사동의 허드렛일을 하는 사람)가 새로 갈렸는지 담당 교도관의 취조심문 비슷한 소리가 문밖에서 들려왔다.

교도관 : 야, 너 뭐로 들어왔냐?

강　도 : 강도요.

교도관 : 너 칼 들었냐?

강　도 : 예. 하지만 칼 쓰는 경우는 별로 없어요.

교도관 : 야, 너 만약 집주인이 겁도 없이 "찔러, 찔러" 하면 어떻게 할 거야?

강　도 : 찔러야죠.

교도관 : 야, 만약 우리집에 강도가 들었다 하자. 이때 안 다치고 돌려보낼 수 있는 방법이 무엇이고? (아마도 교도관은 당사자로부터 어떤 노하우를 알아내고 싶었나 보다.)

강　도 : 말하기 전에 알아서 갖다 바치면 되죠.

교도관 : 에잇, 이 날강도야! (말소리와 동시에 머리통을 후려치는 소리가 들린다.)

나는 문밖에서 들려오는 이 개그 아닌 개그를 듣고 배를 움켜잡고 방바닥을 몇 번이나 굴렀단다. 나중엔 눈물이 다 나더라. 여기서 살다 보면 이런 촌철살인(寸鐵殺人)의 코미디가 때때로 걸려든다. 누가 각본을 짠 것도 아니고 누굴 웃기려고 일부러 하는 것도 아닌데 이렇게 웃기는 상황이 연출된다. 한번은 이런 이야기들을 모아 이담에 사회에 나가 얘기책을 만들면 잘 팔리겠다는 생각도 해 보았다. 그러나 시간이 지나면 다 잊어 먹기 마련. 오늘은 우연히 편지를 쓰기 직전에 상황이 연출되는 바람에 이렇게 기록할 수 있었단다.

강아지풀

고 작은 털북숭이 속에 코딱지만한
벌레들이 왜 그리도 많은지

지금 여기 그려져 있는 강아
지풀은 아주 운이 좋은 놈이다. 낮에 이불 털러 뒷마당에 가 보니
한쪽 구석에 강아지풀이 무성하게 나 있더라구. 며칠 장마비를
맞고 부쩍 큰 모양이야. 한참 담요를 털고 있는데 담 너머 저쪽에
서 "드르륵 드르륵" 하고 삽으로 땅을 긁는 소리가 나는 거야. 볼
것도 없이 내 사랑하는 풀들의 '원쑤', 청소원들이 작업하러 오
는 소리지. 하여간 이 친구들 땜에, 하기사 이들 역시 하기 싫은
걸 소에서 시키는 대로 억지로 하고 있는 데 지나지 않지만, 운동
장에 풀이 제대로 남아 있질 못해. 풀이 조금 자랄 듯하면 탁 엎
어 버리고 쑥 뽑아 버리고 하니, 이곳 풀들은 제대로 자라기도 전
에 꽃부터 피우려고 아우성이지. 그래도 장마 덕분에 참비름은
두 번이나 뜯어 먹었는데, 쇠비름은 앗차, 하는 사이에 청소원들
이 엎어 버려서 맛도 못 보았어. 하여간 우리 소장님은 무슨 결벽
증이라도 있는지 땅에 풀 한 포기라도 나는 게 싫은가 봐. 지금
이 강아지풀로 말할 것 같으면, 그들이 오기 전에 하나라도 살려

84

보고 싶은 마음에 뽑아 와서
요리조리 살펴보다가 이렇게
그림으로 남은 거란다. 그러는
동안 이놈의 동료들은 무참히 땅
에 쓰러지고 말았지.

담요를 털러 나가서 이놈이 보이면
어릴 적 생각이 나서 윗대가리를 똑 꺾
어 반쯤 갈라서는 콧수염을 해 달고 방
에 들어온단다. 그러구 한참 있다 보면 콧
구멍이 간질간질해지지. 이상해서 떼어 보
면 고 작은 털북숭이 속에 코딱지만 한 벌

레들이 왜 그리도 많은지. 참으로 이 세상은 무궁무진하다. 메마른 땅위에 멋대로 자란 이 작은 강아지풀 속에 살고 있는 온갖 작은 벌레와 균들을 생각하면, 이 우주가 극소에서 극대에 이르기까지 존재의 대향연장이 아닌가 싶다. 그중 우리 인간이 한가운데서 중간추 역할을 하고 있는 것이 아닌지. 크기로 보나 숫자로 보나 말이야. 존재의 평형추로서의 인간! 장구한 진화의 역사 속에서 어쩌다 보니 인간이 그러한 위치에 서게 된 걸까? 우연의 역사를 주장하는 자크 모노라면 그렇게 생각하겠지. 하지만 우리 그리스도인들은 정반대로 설명하지. 세상만물을 창조하신 하느님이 이들을 다스리고 관리할 주인으로서 인간을 만들었다고. 결국 하느님은 우리 인간에게 평형추의 개념을 불어넣어 주신 거야. 하지만 그 후 인간의 역사는 어떠했던가?

존재들 사이에 평형을 유지하기는커녕 서로 잘났다고 싸우고, 죽이고, 파괴하면서 오히려 존재들 사이의 질서를 무너뜨리는 중이다. 지금 우리 인간들의 어리석음이 어느 정도인가 하면, 자신이 몸담고 있는 지구 위의 생물들을 멸종시켜 가면서 엉뚱하게도 다른 혹성에서 생물을 발견하려고 애를 쓰고 있다. 그 좋은 자기 집 안방을 내놓고 남의 집 문간방을 찾아 나서는 격이지. 성서에서는 이를 원죄로 설명한다. 이 원죄의 역사 위에 인간 개개인의 죄가 보태지고 누적되고 팽창되어 오늘날 흔히 말하는 '카오스' 상태에 이르게 되었다는 거지. 이천 년 전 예수님이 사셨을 때의 상황도 비슷했던 모양이야. 그때 예수님이 돌아가시기 직전까지 외치신 주된 요지가 무엇이었을까? 결국, "너희들 그렇게 나가다

간 다 망한다. 어서 회개하고 하느님이 너희를 만드신 창조의 목적을 기억하라. 평형감각을 되찾으라!" 하는 것이 아니었을까? 예수님 돌아가시고 나서 이천 년 후에 이런 상황을 또 맞이하고 보니, 우리 그리스도인들이 그동안 예수님을 팔아 딴 짓만 하고 돌아다닌 게 아닌가 하는 생각이 든다. 실제로 근대 이후의 역사를 돌이켜 보면 지금의 이 파멸적인 문명의 확산에 기독교인들이 결정적인 역할을 했음을 알 수 있다. 그렇다고 지금에 와서 특별한 처방이 있을 리가 없다. 이천 년 전 예수님의 가르침을 올바로 실천하는 것 외엔.

 "평형 감각을 되찾으라!"
 예수님이 직접 하신 말씀은 아니지만, 나로서는 복음서를 읽고 나면 꼭 이 말이 가슴속에 남는다. 그런 의미에서 21세기에는 기독교 문화가 아시아에서 새롭게 꽃필 거라는 생각이 든다. 평형감각에 대한 전통이 가장 훌륭하게 보존되어 있는 지역이 바로 아시아, 특히 동양이거든.

 오늘 내가 강아지풀에서 평형 감각을 발견한 것은 결코 우연이 아니다. 강아지풀로 콧수염을 해 달려면 손톱을 세워서 줄기를 반 토막 내는 것에서부터 코에 붙이는 데까지 정밀한 평형감각이 필요하거든. 너도 당장에 밖에 나가 강아지풀을 꺾어 콧수염을 해 달아 보아라. 아마 새로운 느낌이 들 거다.

뻗어라, 오이 덩굴

찌는 듯한 더위가 계속되고
있다. 솥에 감자를 넣고 찔 때 감자의 느낌이 꼭 이럴 거야. 특히
이곳은 콘크리트 건물의 맨 꼭대기 층이라 낮 동안 햇빛에
달구어진 천장이 저녁이면 후끈후끈 열기를 뿜어내
기 때문에, 방안에 앉아 있으면 엉덩이보다 머리가
더 뜨겁지. 낮에는 아무리 더워도 문 열고 복도에 나
가 왔다갔다하면 기분이 좀 나아지지만, 밤이 되면 꼼
짝없이 갇혀 있는 데다 사방이 깜깜하니 더더욱 덥게 느
껴지는 것 같아. 그래도 나는 몸이 마른 편이라 더위를
잘 견디는 편이지만 살집이 좀 있는 사람들은 아주 힘들
어하지. 우리 사동에선 몸이 비대한 김병주 선생님과 박홍순 씨가
저녁만 되면 맥을 추지 못한다. 나는 정 견디지 못할 땐 바가지로
물을 떠 끼얹기도 하지만, 보통은 일에 집중함으로써 더위를 잊어
버리는 방법을 쓰고 있지. 집중마저 안 되면 아예 잠을 청하구.
　여기 이 그림이 무언지 알겠니? 맞아, 오이야! 오늘 운동장에

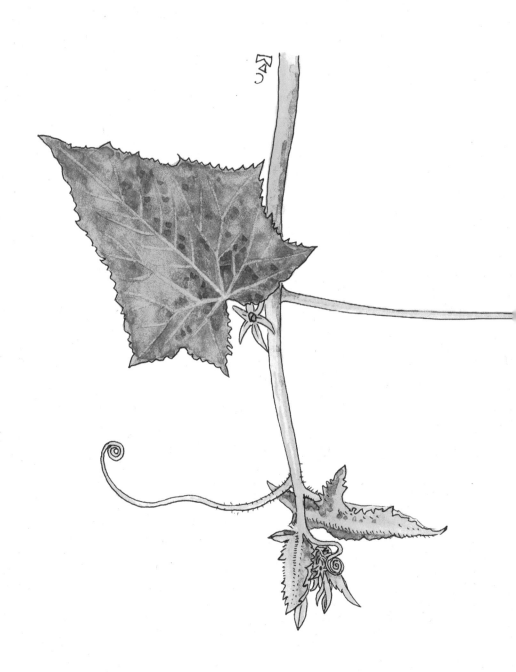

나가 보니 오이 덩굴이 매어 논 줄을 벗어나 아래로 처져 있길래 바로잡아 주다가 그만 선단 부분이 부러지고 말았다. 한창 오이가 줄줄 달리고 있는 마당에 이런 참사가 벌어지다니! 버리기는 아깝고 해서 방으로 가져와 종이에 그려 보았다. 이렇게 끄트머리를 잃어버린 오이는 바로 밑으로 열매 대여섯 개를 주렁주렁 매달고 있다. 맛은 아직 못 보았다. 처음에 달린 것은 누군가 몰래 따 먹어 버렸더라구. 해서 요즘은 비교적 감시를 철저히 하고 있지만 재소자가 운동시간이 지나면 들어와야지 어찌겠냐.

지금 자라고 있는 오이 덩굴은 다 큰 것 두 개와 이제 막 덩굴을 뻗는 것 한 개가 있다. 지난 주일에 씨를 받기 위해 일부러 늙은 오이가 되도록 놔둔 것을 따서 쪼개 보았다. 이놈도 누군가 따 가지 못하도록 오이를 호박잎으로 싸서 위장해 두었기에 겨우 건진 거란다. 헌데 속을 갈라 보니 이게 웬일! 씨가 하나도 없는 거야. 팔뚝만 한 오이에 씨가 하나도 없다니! 버리기가 아까워 썰어서 소금에 절인 뒤 고추장에 버무려 먹었는데, 맛이 없어서 얼마 먹지 못하고 다 버렸다. 어릴 적 어머니가 무쳐준 늙은 오이는 그런 대로 먹을 만했는데……. 나의 입맛이 변한 건지 조리 방법이 틀린 건지 잘 모르겠다.

오이나 호박 덩굴의 생장점 부근을 바라보고 있노라면 조물주의 창조력에 고개가 절로 숙여진다. 초록색의 그 작은 덩어리 안에 앞으로 피어날 것들이 모두 정밀하게 압축되어 있으니 말이야. 이게 어찌나 잘 자라는지 한창 자랄 때는 하룻밤에도 10센티 이상씩 자란다. 그림에 볼펜으로 대충 얼버무려 놓은 오이덩

굴 끄트머리를 손에다 들고 밝은 곳에서 확대경으로 들여다보면 그 정밀함과 복잡함에 감탄사가 절로 나온다. 어린 시절 시계 뚜껑을 처음 열어 그 안을 들여다봤을 때의 감동과 비슷하다. 그렇게 작은 덩어리 안에 적어도 세 번 이상의 꽃차례와 덩굴손이 축소모형(miniature)으로 자리잡고 있으니 말이야. 이것이 밑으로부터 수분과 영양을 공급받고 점점 커져 제 모습을 드러내는 거지.

오이 덩굴에서 가장 신기한 것은 바로 덩굴손이다. 가능하다면 저속 카메라를 가지고 덩굴손의 생장과 운동을 연속 촬영해서 보고 싶구나. 식물의 덩굴손은 곤충의 더듬이와 같은 역할을 하는 것 같다. 덩굴손의 감지 능력이 어느 정도인지 말해 볼까? 한번은 덩굴이 뻗어 나가는 길에서 약간 빗나간 곳에 젓가락을 꽂아 놓았다. 다음날 가 보니 덩굴손이 그 젓가락을 찾아가서 휘감고 있더라구. 이 실험을 반복하여 해 본 결과, 덩굴손은 능동석으로 사기가 감아야 할 대상을 찾아 나선다는 사실을 알아내었다. 그리고 덩굴손은 나선형을 그리며 뻗어 나감으로써 자기 몸무게보다 훨씬 무거운 물체를 매달고 있음도 알게 되었다. 침대나 자동차에 있는 용수철 스프링과 같은 역할을 하고 있다고 보면 된다. 이런 점들을 고려해 볼 때 식물은 동물 이상으로 능동적으로 자기 삶의 조건들을 만들어 내고 또 삶의 진로를 개척해 나간다고 볼 수 있다. 만약 내가 특수한 영적 능력이 있다면 식물이 지능과 감정을 가진 생물체라는 사실을 밝힐 수 있을 텐데……

닭의덩굴
무슨 덩굴이 좋을까?

어젯밤의 천둥번개로 십여 일
간의 불볕더위가 한풀 죽어 오늘부턴 예년과 같은 평상기온으로
되돌아온 것 같다. 이 불볕더위 속에서도 가장 활기차게 생명 활
동을 벌인 식물을 들라면 여기 그려 있는 닭의덩굴이 바로 그것이
다. 땡볕과 가뭄 속에서 모든 식물들이 허덕거리고 있을 때도 이
놈만은 독야청청, 거침없이 사방으로 덩굴을 뻗쳐 자기 영역을 확
대하고 있었다. 같은 부류의 덩굴 중 가장 여릿여릿하게 생겼으면
서도 뻗어 나가는 기세는 가장 드세니, 가히 외유내강의 표본이라
고 할 만하다.

이놈은 3년 전 임하댐으로 사회참관을 갔을 적에 공원 잔디밭
에서 한 뼘도 안 되는 것을 옮겨 와 심은 것인데, 돌보지 않아도
저 혼자 씨를 떨어뜨려서 해마다 새로 싹을 틔우고 있다. 봄에 덩
굴 한 끝을 창살에 걸어 놓으면 한여름 동안 창살을 다 덮어 버린
다. 조금 있으면 꽃을 피울 터인데, 꽃은 영 볼 것 없다. 연한 녹색
의 꽃이 조그맣게 뭉쳐 피는데, 언뜻 보면 꽃 같지도 않다. 생명력

이 강한 것들이 다 그러하듯 이놈도 씨는 엄청 잘 맺지. 그런데 이 씨가 참으로 희한하게 생겼다. 얼마나 단단한지 이빨로 물어도 잘 깨지지가 않는다. 그 단단한 껍질을 뚫고 어떻게 싹이 트는지 신기하기만 할 뿐이다.

대체로 '닭' 자가 붙은 식물은 생명력이 대단히 끈질기다. 닭의덩굴 말고 우리가 잘 아는 것으로 '닭의장풀'이 있다. 흔히 달개비라고도 부르는 풀이지. 일설에 의하면 이 풀이 닭장 근처에서 잘 자라기 때문에 그런 이름이 붙었다고 하는데, 닭의덩굴도 그래서 붙은 이름인지도 모르겠다. 어렸을 적 기억을 더듬어 보면, 닭들이 달개비를 쪼아서 여기저기 너덜너덜해진 채로 서 있던 모습이 눈에 선하다. 그렇게 쪼임을 당하고도 한여름 응달에서 피어난 파르란 달개비꽃은 너무도 아름다웠지. 아마 돋보기라도 있었다면 그 희한하게 생긴 꽃 내부를 들여다보느라고, 얼굴을 하루 종일 땅에 들이박고 있었을 거야.

닭의덩굴이나 달개비는 먹을 수는 있지만 특별히 기억할 만한 맛을 지니고 있지는 않다. 그래서 나는 모듬나물을 해 먹을 때나 양을 채우기 위해 조금씩 따 넣곤 하지. 맛도 별로 없고 꽃도 시원찮은 닭의덩굴은 그 왕성한 생명력과 푸른 잎으로 인해 여름철 관상 덩굴로 안성맞춤이다. 여러해살이인 담쟁이덩굴은 가을단풍이 멋지긴 하지만, 작은 규모의 치장에는 어울리지 않고, 나팔꽃 덩굴은 털북숭이에다 단풍이 좋지 않아서 그렇고, 메

꽃·덩굴은 줄기가 너무 짧고, 며느리밑씻개 덩굴은 온몸이 가시 투성이라 겁나고, 박주가리 덩굴은 꼬여드는 벌레 때문에 마땅찮고……. 작은 규모의 담벼락이나 정원석을 수놓을 한해살이 관상 덩굴로는 역시 벌레 끼지 않고 상큼한 닭의덩굴이 좋은 것 같다. 음, 그러구 보니 돌콩 덩굴도 권장할 만하다.

오늘은 내 생일, 국경일에 나오는 쌀밥과 소고기국으로 생일상을 차려 동료들의 생일축하 노래를 들으며 맛있게 먹었다. 뿐만 아니라 그동안 그렸던 그림 중에서 열 점을 가려 뽑아 사방 복도에 붙여 놓고 운동시간에 간이 전시회를 갖기도 했다. 주로 누드와 시원한 풍경을 그렸으니, 좋은 구경거리가 되었을 거야. 관객이 일곱 명밖에 되지 않았지만 나의 첫 개인전이라는 점에서 의미가 있는 전시회였다. 이담에 사회에 나가 시골에 정착하게 되면 농장 마당에서 두 번째 개인전을 열 생각을 지금부터 하고 있단다.

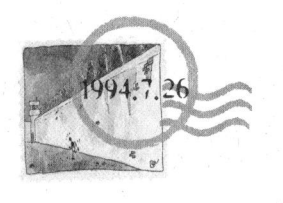

오줌은 최고의 생수

요료법 Ⅱ

기다리고 기다리던 비가 내렸다. 하루 종일 날씨는 흐렸지만 정작 비는 얼마 오지 않았다. 그래도 그게 어딘지. 풀들이 잠깐이나마 숨을 돌렸을 거야. 하지만 한나절 땡볕이면 바짝 말라버릴 정도에 지나지 않으니……. 아침에 나가 보았더니 깻잎이 바짝 말라 어떤 것들은 마치 삶아 놓은 것처럼 쪼그라들었다. 호박도 잎이 누렇게 떠서 따 먹을 것도 없구.

나 이번에 결심했다. 오는 8월 1일부터 다시 한번 무기한으로 요료법(尿療法)을 실시하기로. 나 혼자가 아니라 옆방의 이성우 선생님과 함께 하기로 약속했다. 이 선생님은 온갖 노인병을 다 가지고 있어 내가 보기에도 딱하더라구. 아파도 제때에 치료를 받을 수 없는 이곳의 형편상 어쩔 수 없이 택하게 된 자연요법이지. 작년에 요료법을 했을 때는 기관지염과 요통 때문이었지만 이번에는 치아 때문이야. 아무리 열심히 닦아도 나아지지는 않고 점점

더 나빠지기만 하는 잇몸과 치아를 더 이상 내버려 둘 수가 없었어. 본격적으로 마시고 양치하기로 했다.

요즘 요료법에 관한 일어책을 하나 읽었는데 지난번 네가 넣어준 책에서는 알 수 없었던 사실을 몇 가지 발견했다. 이 책에 나오는 어떤 사람은 아침에 출근할 때 요를 한 모금 입에 머금고는 전철을 타고 회사에 가서야 뱉어낸다고 하더군. 생각만 해도 어질어질한데. 그 정도까지는 못하겠지만 현재의 나로서는 이것 외에 대안이 없으므로 악을 쓰고 한번 해 볼 참이다.

지금까지 내가 검토한 각종 관계 서적을 통해 확인한 요료법의 효과는 다음 두 가지로 압축시킬 수 있다.

· 몸의 자연 치유력을 증진시킨다.
· 요 속에는 자기 몸의 병을 치료하는 물질이 들어 있다.

먼저 오줌은 사람이 구할 수 있는 최상의 생수라는 점이야. 그리고 오줌 속에는 우리 몸에 필요한 미량 원소가 다량 들어 있는데, 이런 것들이 몸속에 들어가 생기를 북돋아 준다는 거지. 두 번째 사실은 언뜻 이해를 할 수 없을지도 모르지. 하지만 우리 몸에 병균이 침투하면 그것을 물리치기 위한 항체가 즉각 형성된다는 사실을 알고 나면 이해 못할 것도 없지. 그렇기 때문에 요료법에는 자신의 오줌이 가장 효과가 좋다. 에이즈 환자에게는 에이즈 균을 죽이는 킬러세포가 만들어진다고 한다. 하지만 이것이 아주 미량이라 큰 역할을 못한다는 거지. 아직 에이즈 치유의

보고는 없지만 암 치료에 대한 보고는 상당히 많다. 들려오는 바에 따르면 광주의 장기수 손유형 선생님이 암 때문에 거의 약으로 살다시피 하다가 옥중에서 요료법으로 완치되었다 하는군. 다음은 내가 일본책에서 발췌한 내용인데 한번 읽어 보아라.

"실제로 오줌은 결코 더러운 것이 아니다. 침의 경우 뱉어 놓고 먹으라고 하면 먹지 않을 것이다. 그러나 우리 입안에 있는 침은 늘 먹고 있다. 키스를 할 때는 어떤가? 상대방의 침을 먹고 있다. 그러나 침을 뱉어 놓으면 불결한 느낌이 든다. 오줌도 마찬가지다. 더럽다고 생각하는 것은 그렇다고 교육을 받아 형성된 뿌리깊은 선입관 때문이다. 흔히들 오줌과 똥을 비슷한 것으로 알고 있지만, 똥은 음식물의 찌꺼기와 가스, 장내 세균 및 여러 가지 분비물 등으로 되어 있는 반면, 오줌은 방금 전까지도 혈액의 형태로 몸속을 돌던 것으로 똥과는 아주 다른 경로를 통해 몸 밖으로 배출되는 것이다. 오줌은 혈액이 신장에서 걸러져 요관을 통해 방광에 머물렀다가 배출되는 것이기 때문에, 혈액보다도 더 깨끗한 것이다. 피를 뽑아 놓아두면 빨간 부분이 가라앉고 노란 물이 맑게 고이는데, 이게 오줌이라 생각해도 크게 틀린 것은 아니다. 그것은 혈청이다. 그러므로 건강한 사람의 오줌은 완전히 무균 상태이다."

여기에 장문의 인용을 한 이유는 너도 요료법을 하기를 바라기 때문이야. 건강유지와 피로회복 특히 피부 미용에 좋다고 하더군.

무엇보다 피로를 쉬 느끼는 너로서는 꼭 하는 게 좋겠다. 책에 소개된 한 강사는 온 식구가 요료법을 하는데, 특히 캐나다에 사는 연로하신 어머니는 일본에 올 때 비행기 안에서 누는 자신의 요는 전부 마셔 버린다더군. 그러고는 일본에 도착해서 하나도 피로한 기색 없이 바로 친구들과 놀러 나간다는 거야. (이분은 8년째 하고 있음.)

나는 지금 결코 호기심이나 장난 삼아 권하는 게 아니다. 작년에 한 4개월 하다 말았는데, 마음자세가 그리 좋지 못했어. 꼭 좋아진다는 신념을 가지고 지극 정성으로 해야 하는데 그렇질 못했거든. 될 수 있으면 사전에 관계 문헌을 두루 조사하여 충분한 정보를 가지고 하는 게 좋을 거야. 하지만 빨리 시작할수록 좋겠지. 한 가지 더, 아기가 엄마 뱃속에 있을 때의 양수는 오줌과 성분이 거의 같다는군. 아기는 그 안에서 양수를 먹고 그것을 오줌으로 배출하고는 또 먹고 하면서 열 달을 자란다는 거지. 이것만 보아도 오줌이 최상의 생수임을 알 수 있을 거야.
한번 진지하게 생각해 보길 바란다.

1994.7.29

딱지꽃
나를 다스리는 꽃

만(慢), mana(남태평양 연안 원주민의 언어로 현상 뒤에 숨어 있는 초자연적인 힘)의 한역, 영어로는 pride 또는 conceit로 번역된다. 아만(我慢). 자신이 남보다 훌륭하다고 망상하여 남에게 뽐내려 드는 방자한 마음. 한 가지 주의할 점은 학식이나 용모, 혈통 등 자신이 갖고 있는 조건 때문에 우월감을 가지는 마음은 교(驕)인데 반해, 만은 무조건 자기 자신이 낫다고 느끼는 본능적 심성이라는 점이다. 따라서 교는 오히려 조복(調伏) 받기 쉽다고 하겠으나, 만은 그 뿌리가 깊고 미묘하므로, 인간의 해탈을 막는 열 가지 족쇄 중에서도 가장 높은 수준의 마지막 족쇄에 속하여 아라한과를 성취해야 비로소 완전히 소멸된다. 범어의 원래 뜻은 타인과의 관계에서 생긴 자의식(self-conception)을 가리킴.

慢, 요즘 내가 지고 다니는 화두이다.

남들은 그렇게 보지 않을지 모르지만, 나는 자신이 얼마나 교만한지 잘 알고 있다. 모르면 고통이 아닌데 알기 때문에 나는 괴로

운 거다. 겉으로 보란 듯이 잘난 체하는 것보다 이렇게 속으로 싸고도는 만이야말로 골치 아픈 거지. 학창시절부터 내성적이었던 나는 겉으로 남들로부터 무시당하는 것같이 느껴지는 것만큼 속으로 남들을 우습게 보았던 것이다. 때문에 겉만 보고 우습게 알고 내게 함부로 굴었다가 앗 뜨거라 하며 호되게 당한 이들도 꽤 있지. 한때는 그것이 한 인간이 지니고 있는 저력이 아닐까 하고 생각도 했었지만 결국은 만에 지나지 않음을 인정하게 되었단다.

특히나 감옥 안에서 아만으로 똘똘 뭉친 사람들을 접하고부터는 나의 만이 얼마나 견고한 것이었는지를 더욱 실감하게 되었다. 어쩌면 이것은 타고난 것이기도 하다.. 사주를 보면 나온다. 사주가 아니더라도 나는 일찍이 이 만을 다스리는 것이 내 인생의 성공 여부를 결정짓는 중요한 일임을 알고 여러 번 다짐하기도 했다. 그러나 이것이 나만의 특이한 습성과 결부되어 나타나기 때문에 다스리기가 결코 만만치 않았던 것이다.

아만에 사로잡혀 쓸데없는 말들을 허공에 마구 뱉어 놓은 날의 잠자리는 왜 이리 뒤숭숭하고 불안한지. 마치 만이라는 독을 내 주변에 풀컥풀컥 풀어낸 것만 같다. 그럴 때 나는 빛과 소금이 아니라 독초가 된다.

慢, 하느님은 인간을 만드실 때 한 가지 재능을 주시면서 꼭 하나의 만을 덤으로 붙여 주신 것 같다. 때때로 사람들은 재능 있는 자들의 오만을 천성으로 알고 너그러이 받아들이는 경향이 있다. 하느님께서 창조하신 모든 것이 다 그러하지만 만 역시 두 개의 가능성을 지니고 있다. 그것은 인간을 타락시키기 위하여 있는 것

이 아니라, 오히려 그로 인한 고통을 통해서 스스로의 힘으로 완전함에 나아갈 수 있도록 하기 위한 배려가 아닐까 하고 생각해 보기도 한다.

　오늘 그린 풀은 딱지꽃이다. 내가 좋아하는 풀 중의 하나이지. 어린 싹을 보면 아주 맛있게 생겼는데 아직 한번도 맛을 보질 못했다. 화단에 한 뿌리밖에 없기 때문이야. 어렵게 어렵게 옆 사동에서 한 뿌리 캐어다 2년 동안 키운 것인데 새끼도 안치고 해서 애지중지하고 있다. 꽃모양과는 전혀 상관없는 딱지란 말이 어떤 연유로 붙었는지 모르겠다. 이놈은 꽃대가 나오기까지는 대단히 천천히 자라다가 일단 꽃몽오리가 터지기 시작하면 쑥쑥 자라는 게 무척 시원스럽게 보인다. 또 작은 노란 꽃들이 두 달 가까이 피고 지고 한다. 그 많은 작은 꽃봉오리들이 모조리 다 꽃으로 피어나

는 것을 보면 딱지꽃은 참으로 저력이 있는 풀이로구나 하는 생각이 든다.

　내가 야생초를 좋아하는 이유 중의 하나는 내 속의 만을 다스리고자 하는 뜻도 숨어 있다. 인간의 손때가 묻은 관상용 화초에서 느껴지는 화려함이나 교만이 야생초에는 없기 때문이지. 아무리 화사한 꽃을 피우는 야생초라 할지라도 가만히 십 분만 들여다보면 그렇게 소박해 보일 수가 없다. 자연 속에는 생존을 위한 몸부림은 있을지언정 남을 우습게 보는 교만은 없거든. 우리 인간만이 생존경쟁을 넘어서서 남을 무시하고 제 잘난 맛에 빠져 자연의 향기를 잃고 있다. 남과 나를 비교하여 나만이 옳고 잘났다며 뻐기는 인간들은 크건 작건 못생겼건 잘 생겼건 타고난 제 모습의 꽃만 피워 내는 야생초로부터 배워야 할 것이 많다. 야생초를 사랑하면서 교만한 자가 있다면 그는 다른 목적으로 야생초를 사랑하고 있는 것이다.

녹두
겉모습은 콩과 식물 중 가장
보잘것없으나

워낙에 가물고 더워서인지
잠깐 스쳐지나간 태풍이 마치 한 저녁의 산들바람같이 느껴진다.
그나마 많은 지역이 해갈되었다니 다행이다. 오랜만에 비 맛을 본
뒤 나가 본 꽃밭은 생기가 넘쳐흘렀다. 여기 그린 것은 녹두란다.
콩 종류가 모두 이처럼 생겼지. 특히 녹두는 팥과는 구별이 되질
않는다. 그런데 녹두는 이 이상 자라질 않더군. 잘못 키워서일까?
팥은 덩굴성으로 엄청 뻗어가며 자라던데…… . 예전에 원예부에
있을 때 팥을 길렀는데, 어찌나 잘 자라던지 이파리 하나 크기가
마치 호박잎만 하더라구. 그런데 그때의 팥은 줄기 가운데 구멍을
파고 들어앉아 사는 벌레 때문에 벌 재미를 못 보았다. 녹두는
첫 잎사귀가 몇 개 나오고는 바로 꽃피고 열매 맺더니 끝이
데. 이렇게 생애가 짧고 키가 작아서 전봉준을 녹두장군이
라 불렀나 보다. 많이 심었으면 갈아서 녹두전이라도 부쳐먹을
텐데 겨우 몇 포기에서 씨나 좀 받아 냈을 뿐이다.

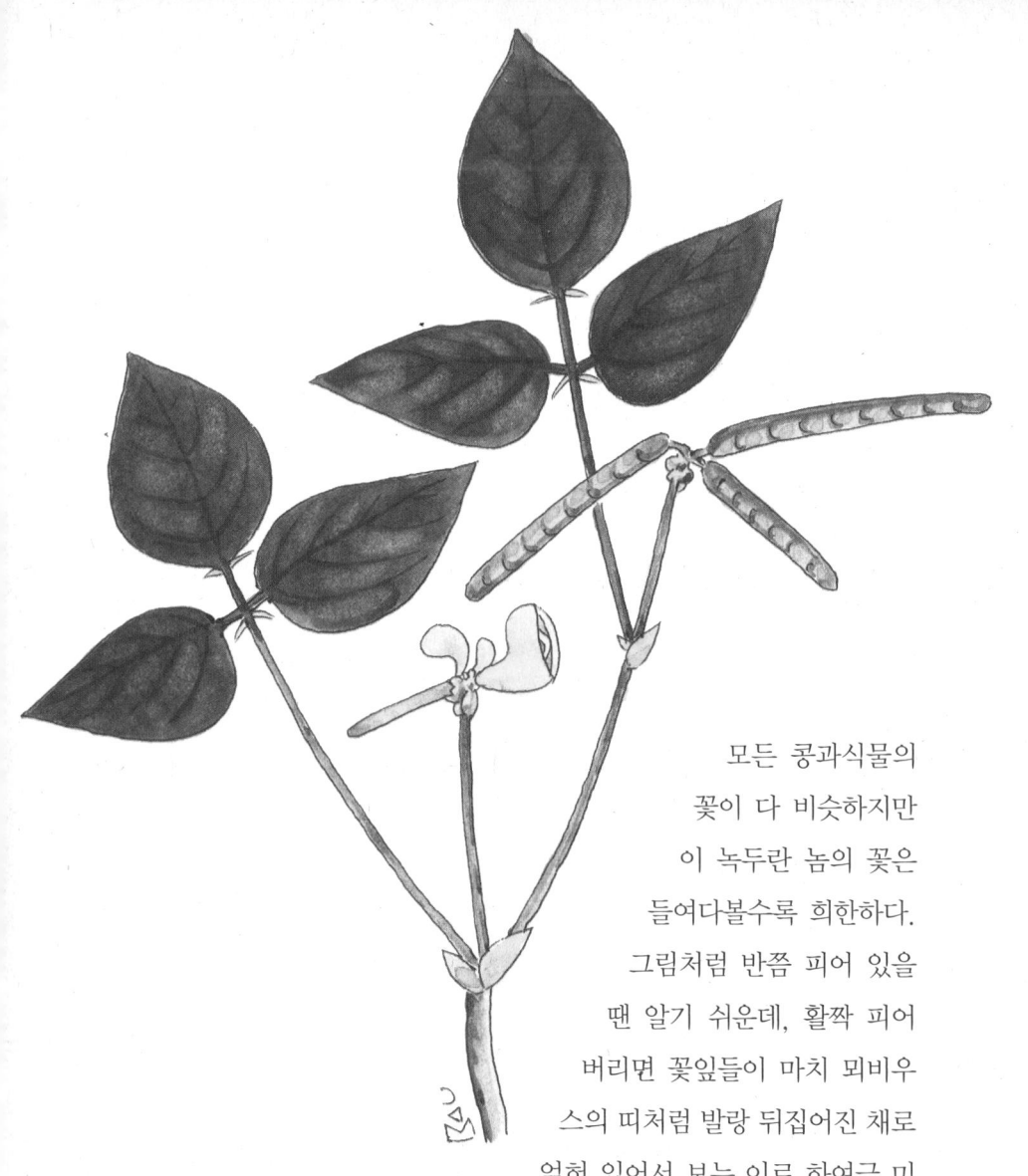

모든 콩과식물의
꽃이 다 비슷하지만
이 녹두란 놈의 꽃은
들여다볼수록 희한하다.
그림처럼 반쯤 피어 있을
땐 알기 쉬운데, 활짝 피어
버리면 꽃잎들이 마치 뫼비우
스의 띠처럼 발랑 뒤집어진 채로
얽혀 있어서 보는 이로 하여금 미
로 상자에 빠진 기분이 들게 한다. 꽃 색깔도 우중충한 노란색에
잎사귀도 많지 않은 녹두. 게다가 키까지 작으니 콩과 식물 중에
는 가장 민중적이라 하겠다.

이놈이 열매가 다 익어서 터지는 모습을 본 적이 있는지? 오늘

다 익어서 바짝 마른 열매 하나를 따려고 손을 갖다 대었다가 딱!
하는 소리에 깜짝 놀라 손을 움츠리고 말았다. 양끝을 기점으로
갑자기 가운데가 탁 터지면서 콩이 사방으로 흩어지고 콩깍지는
마치 꽈배기처럼 비틀어져서 떨어지더라구. 이 처럼 말이야.

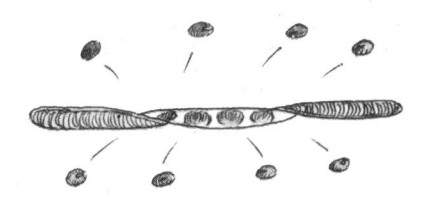

  고놈 참 박력 있게 터지데. 아마 백 년 전 전라도 고부에서 전봉
준이 농민들과 합세하여 참다 참다못해 관아를 들이칠 때 그랬을
것이다. 탐관오리와 부농들에 의해 천하에 지지라도 못난 농투성
이라고 업신여김을 당하다가 그 원한이 익을 대로 익어 어느 날
탁! 하고 터진 게 아니겠니? 녹두가 겉모습은 콩과 중에 가장 보
잘것없지만, 사람들이 가장 맛있게 즐겨 먹는 것처럼 우리 농민들
도 국민의 먹거리를 만들어 내면서도 사회적으로는 가장 대접을
받지 못하고 있다.
  왕조시대엔 농민들의 저주가 사회변동의 원동력이 되었지만,
현대에 와서는 전혀 그렇지 않다. 그렇다고 해서 세상이 농민의
원한을 방치해 둔다고 하여 별탈 없을 것 같지도 않다. 그렇기는
커녕, 옛날에는 한 지역사회에서의 변동을 걱정했지만 오늘날에

는 지구 차원의 생태적 변동을 걱정해야만 한다. 한번 우리네 밥상을 보아라. 시금치, 감자, 배추, 호박, 밀, 쌀……. 어디 우리 토종이 남아 있나? 수량 많고, 때깔 좋고, 덩치 크고, 맛이 그저 그런 외국산으로 교체되고 말았다. 오로지 시장에서 잘 팔릴 수 있는 것만 재배하다 보니 이제 우리 시골의 농가에는 오래 전부터 재배해 오던 토종의 종자마저 씨가 마른 것이다. 결국 세계가 점점 단일 시장으로 되고 식량재배 역시 지역적으로 특화되면서, 수많은 사람들의 먹거리도 단일품목, 단일품종으로 될 것이다.

이런 상태에서 지배적인 품종에 치명적인 병이나 재해가 생긴다면 엄청난 식량 파동이 일어날 것이다. 그때에는 이미 대체 품종이 남아 있지 않을 테니까. 이런 사태를 막기 위해 나라마다 '종자 보존 연구소'란 것이 있지만, 현재 재배하고 있지 않은 종자가 무슨 소용이 있겠는가? 그것들은 그야말로 연구용에 지나지 않는다. 아무리 연구소 활동이 활발하다 한들 개별 농가의 재배를 통해 유지되는 종의 다양성에는 발끝도 따라가지 못할 것이다. 개별 농가를 통한 종자의 보존과 종자 연구소의 연구가 생산적으로 결합된다면 더 바랄 게 없을 텐데, 이놈의 자본주의 시장 메카니즘이 그걸 보장해 주지 않으니 문제이다.

우리는 이미 박통 시절에 이런 생태적 재앙을 겪었다. 바로 통일벼에 의한 싹쓸이 경작이 그것이지. 이 통일벼 심기는 새마을운동과 결합되어 생태적 재앙뿐 아니라 우리 농촌에 문화적 재앙까지 몰고 왔다.

UR이 타결되어 농산물 시장이 완전 개방되기 전에 우리는 하

루 빨리 우리의 토종 종자를 보존, 발굴, 연구, 보급하는 체계를 갖추어야 할 것이다. UR에 편승하여 돈벌이에 눈이 어두운 자들은 이따위 녹두콩 씨 하나가 무슨 재앙이랴 싶겠지만, 깨어 있는 사람들만이라도 부지런히 몸을 놀려야 할 것이다.

오늘은 녹두꽃을 주제 삼아 한마디 지껄였더니 목이 컬컬한 게 녹두 부침에 막걸리 한 잔 했으면 원이 없겠다. 이따가 꿈에서나 먹어야지.

주름잎

아무도 보아 주지 않는 저 작은 꽃을
피워 내기 위하여

默內雷.

묵내뢰. 얼마 전 서예를 하는 한 친구가 이와 같은 글씨를 써서
보내왔기에 요즘은 이 글씨를 벽에 붙여 놓고 묵상하는 일이 잦
다. 무슨 뜻인고 하니, 겉으론 침묵을 지키고 있지만 속으론 우뢰
와 같다고. 그러고 보니 어느 책에서 읽은 이와 비슷한 우화 하나
가 생각나는구나. 늘 평화로운 웃음을 잃지 않고 사는 분이 있었
는데, 사람들이 "선생님은 정말 행복하시겠습니다. 무슨 걱정이
있겠습니까?" 하고 물어 올 때마다 그분은 "저 물 위에 둥둥 떠다
니는 오리는 물 아래에서 얼마나 열심히 두 발을 움직여야 하는지
모르는 것처럼 내 안에서도 마찬가지입니다."라고 대답했다나.

아마 이것은 보통 사람들 중에서도 수준이 꽤 높은 사람의 경우
일 거다. 소위 천의무봉(天衣無縫)한 사람들은 속에서 뇌우가 치
면 겉에서도 뇌우가 치고, 속이 텅 비었으면 겉도 고요하다지 않
니? 아마도 이성의 제어장치가 고장난 정신질환자와 도통한 사람

108

들이 이 부류에 들 것이다. 그 외의 많은 사람들은 속에서 부글부글 끓어도 겉으론 태연한 척하고 사는 경우가 많지. 그런데 이 척에도 급수가 있다. 가장 하급은 내부의 감정을 아름답게만 보이려고 하는 아첨꾼들이고, 중급은 무조건 속에서 일어나는 일이 겉으로 드러나지 않도록 막는 데 급급한 자들이지.

고급은? 글쎄, 내부의 복잡한 감정을 겉으로 드러내기에 앞서 자신에게나 상대에게나 좀 더 편하게 받아들일 수 있는 것으로 순화시키려 노력하는 사람이 아닐까? 오리의 평화로움은 아마도 이성의 여과장치와는 관계없이 그저 본성에 충실한 관계로 보여진다. 그런 오리를 대단히 복잡한 감성체계인 사람과 맞대는 것은 조금 무리이기는 하지만, 현상과 내면의 차이와 그 관계성을 시각적으로 일러주는 탁월한 비유라 하겠다. 이에 비해 지극히 추상적인 중국문자로 표현한 默內雷는 곱씹을수록 깊은 맛이 우러나는 말이 아닐 수 없다.

평화란 절대적 평온, 정지, 무사, 고요의 상태가 아니라, 내부적으로 부단히 움직이고 사고하는 '동적평형(動的平衡)' 상태라는 것이지. 사회가 평화롭다, 두 사람 사이가 평화롭다고 할 적에는, 내부적으로 부단히 교류가 이루어지고 대화가 진행되어 신진대사가 잘 되고 있다는 뜻이 된다.

오늘 그린 이 꽃 이름이 무언지 알아 맞춰 보아라. 밭고랑이나 논둑 등에서 흔히 보는 건데 아마 이름은 잘 모를 거다. 이것은 실물 크기 그대로 그린 것이다. 아무리 커도 10센티미터를 넘지 않

는 아주 아담 사이즈의 꽃이지.

　이놈은 내가 이곳에 처음 왔을 때부터 운동장 한구석에 있는 듯 마는 듯 피었다가 사라지곤 했는데 수년 동안 도통 이름을 알 수 없었다. 그렇다고 한꺼번에 많이 피어서 어디 군락을 이루는 것도 아니고, 꼭 잊을 만하면 풀 섶 언저리에 한두 그루씩 심심하게 피어 있더라구. 남의 눈을 전혀 끌지 않으면서도 잊을 만하면 얼굴을 내미는 꽃. 하도 작아서 바닥에 바짝 엎드려야 고 귀여운 모습이 눈에 들어오는 꽃. 이름이 뭔고 하니, 주름잎이라 한다. 잎 가장자리가 주름졌다 하여 붙여진 이름이란다. 그 밖에 '고추풀', '선담배풀'이라고도 하는데 아마 지방마다 조금씩 다르게 부르는 모양이다. 어릴 적 잎은 먹기도 한다는데 수량이 너무 작아서 본격적으로 먹어 보진 못했다. 민간 요법으로 월경불순을 다스리는 데 쓴다고 한다. 내가 가지고 있는 ≪몸에 좋은 산야초≫에 보면 야생초 하나하나마다 몸의 어디어디에 좋다고 하는 설명이 나와 있는데, 과연 이 많은 경우를 사람들이 다 실험해 보았을까 하는 의문이 들기도 한다. 개중엔 틀림없이 오비이락(烏飛梨落)의 격도 많을 것이고 보면, 국가 차원에서 연구소를 하나 만들어 전문가들로 하여금 연구토록 해서 민

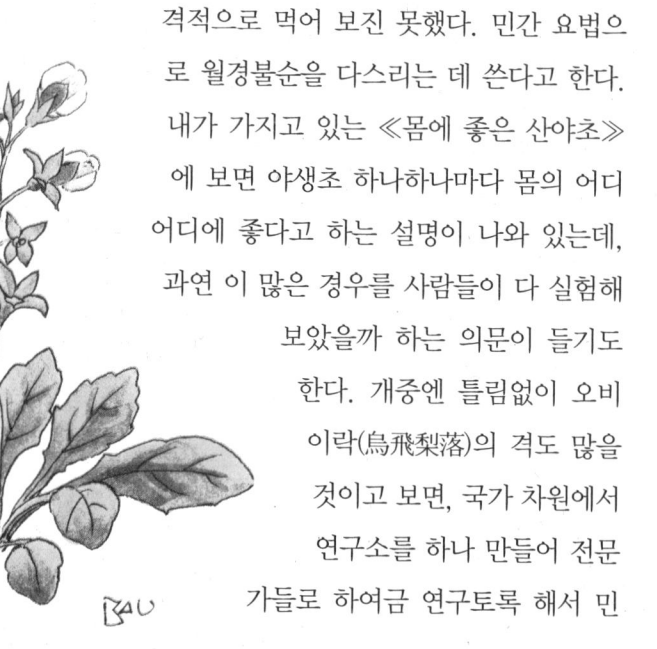

중들이 안심하고 사용할 수 있도록 했으면 좋겠다.

　화단 구석에 수줍은 듯 얌전히 피어 있는 주름잎꽃을 보면서 다시 한번 묵내뢰를 떠올린다. 아무도 보아 주지 않는 저 작은 꽃을 피워 내기 위하여, 화단 구석의 내밀한 공간 속에 의젓하게 자리하기 위하여 쉼 없이 움직이고 있는 주름잎의 내면을 그려 본다.

방가지똥

그래도 난 여름이 좋다

연속 사흘째 찜통!

저녁이면 공장에서 사방으로 돌아온 재소자들이 앞다투어 목욕
하느라 우리가 사는 3층까지 물이 올라오지 않는다. 운동을 해서
땀은 범벅이지, 물은 없지. 별수 없이 물 나올 때까지 기다리다 보
면 졸리고 피곤해서 쓰러져 잠들고……. 그래도 난 여름이 좋다.
홀라당 벗은 채 책도 보고 호흡도 하고, 팔굽혀펴기도 하고, 여간
홀가분한 게 아니다. 다른 무엇보다도 여름은 풀들을 계속 따 먹
을 수 있으니 좋다.

이 풀을 자세히 보아라. 이름은 방가지똥. 엉겅퀴를 많이 닮았
지만 꽃이 영 다르다. 줄기에 가시가 없지. 꽃은 국화과의 다른 야
생화와 비슷하다. 그런데 나는 매일같이 운동장에 나가지만 이놈
이 꽃을 활짝 피운 것을 본 일이 없다. 작년에 흐린 날씨가 며칠
계속될 때 처음 본 이래로 말이야. 그런데도 어느새 수정을 끝내
고 씨앗을 맺어 낙하산을 사방에 날리는 것을 보면 내가 안 보는

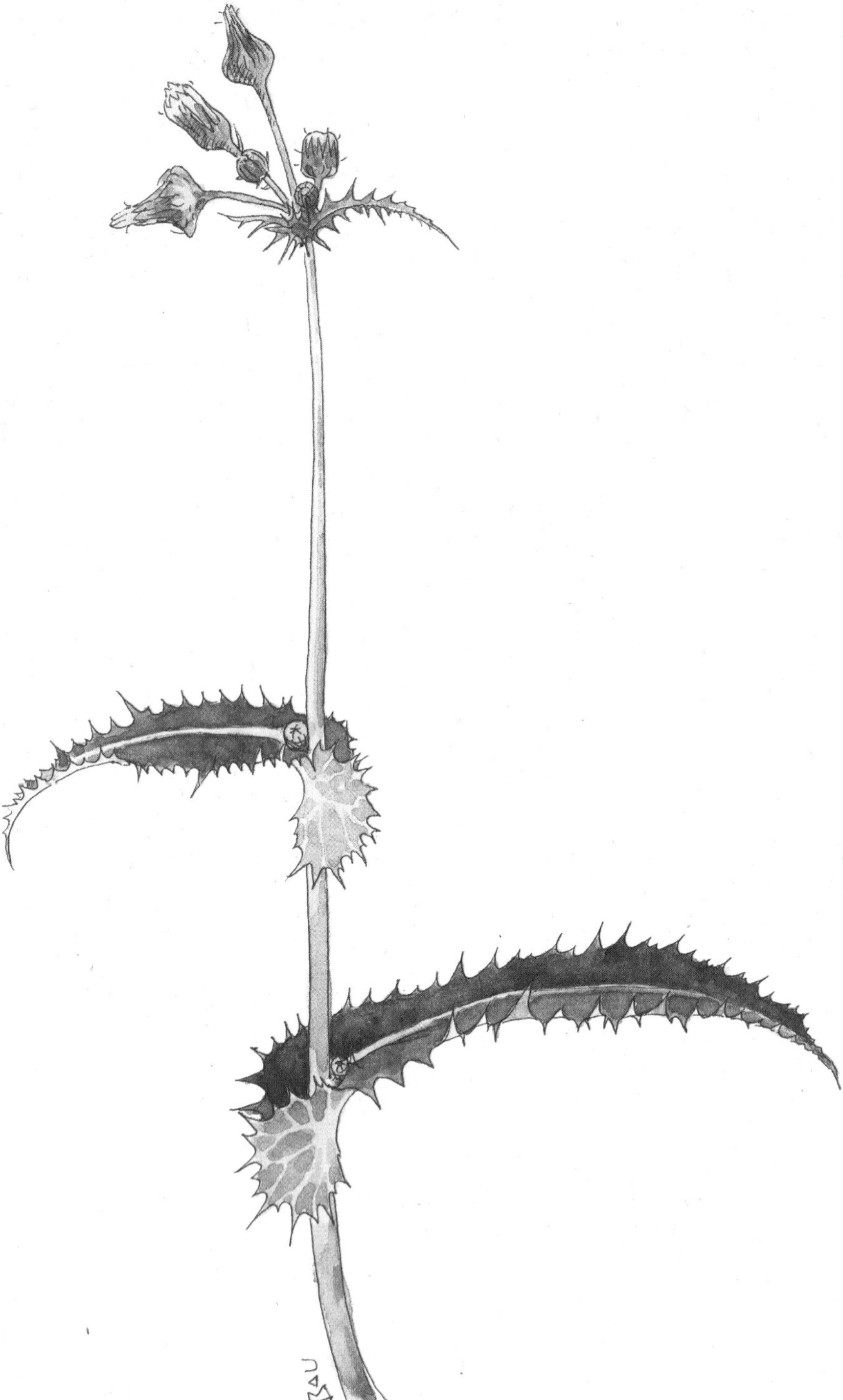

새에 틀림없이 꽃을 피웠다는 것인데, 도무지 나에게는 들키질 않으니 참으로 이상한 풀이다. 방가지똥의 매력은 꽃이 아니라 가시같이 날카로운 톱니가 불규칙하게 늘어선 이파리이다. 촉감도 꼭 비로드 천을 만지는 것처럼 매끈매끈하고 가장자리에는 날카로운 가시를 달고 있는 것이 볼수록 신기하지.

　방가지똥, 방가지똥, 이름이 참 귀엽지? 강아지똥과 발음이 비슷한 게 어릴 적 향수가 묻어 있는 이름이다. 분명히 똥과 무슨 관련이 있는 것 같은데 꽃을 아무리 들여다보아도 단서를 찾을 수가 없으니…….
　우리 산야에 자라나는 풀꽃들의 이름은 참으로 예쁘고 친근한 것들이 많다. 그 많은 풀들에 일일이 그런 예쁜 이름을 붙여 준 우리 민중들의 슬기에 감사드리고 싶다. 요즘 보면 우리의 산, 강, 마을 이름을 조사해서 그 어원과 뜻을 살피는 책들이 상당히 나와 있지만 우리 풀꽃 이름을 조사한 책은 아직 없더군. 지명이나 마을 이름 같은 것들은 그 지역에 오래 살고 있는 사람들이나 문헌을 뒤져 보면 알 수 있겠지만 산야의 풀 이름은 입에서 입으로 떠돌다가 정착된 이름들이 많아서 그 유래를 알아보기가 힘들 것이라고 생각되기도 한다. 그렇다고 지난번 며느리밑씻개처럼 문학적 상상력으로 매번 뚜드려 맞출 수도 없고…….

여뀌

하나씩 떼어 놓고 보면 참 예쁜 풀

무슨 놈의 더위가 수그러들 생각을 안 하는구나. 1급 태풍이 분다고 난리인데 어서 좀 왔으면 좋겠다. 좌우간 지금 같아서는 태풍이 보약이야. 요새 신문을 보면 이 끔찍한 더위가 우리나라만이 아니더라구. 어제 네덜란드에 사는 윔 잘(Wim Zaal)이라는 작가 친구로부터 엽서가 왔는데 얼마 전 그곳에서도 기상관측을 한 이래(1700년경) 최고의 기온을 기록했다고 하더군. 또 브라질은 영하 7도를 기록하여 커피 생산이 40% 정도 줄어들 것 같다니 이거 지구가 새로운 지질 시대로 돌입하는 거나 아닌지 모르겠다.

오늘은 여뀌를 그렸다. 동네에 따라 역귀, 역꾸라고 불리기도 한다. 밖에 나가면 개울가나 도랑에 지천으로 나 있는 게 여뀌인데 이상하게도 이 교도소 안에는 찾아볼 수가 없다. 아마 씨가 무거워서 잘 날아다니지 않는가 보다. 오늘 운동장 후미진 곳에 난 강아지풀 사이에서 이놈을 발견하고 얼마나 반갑던지.

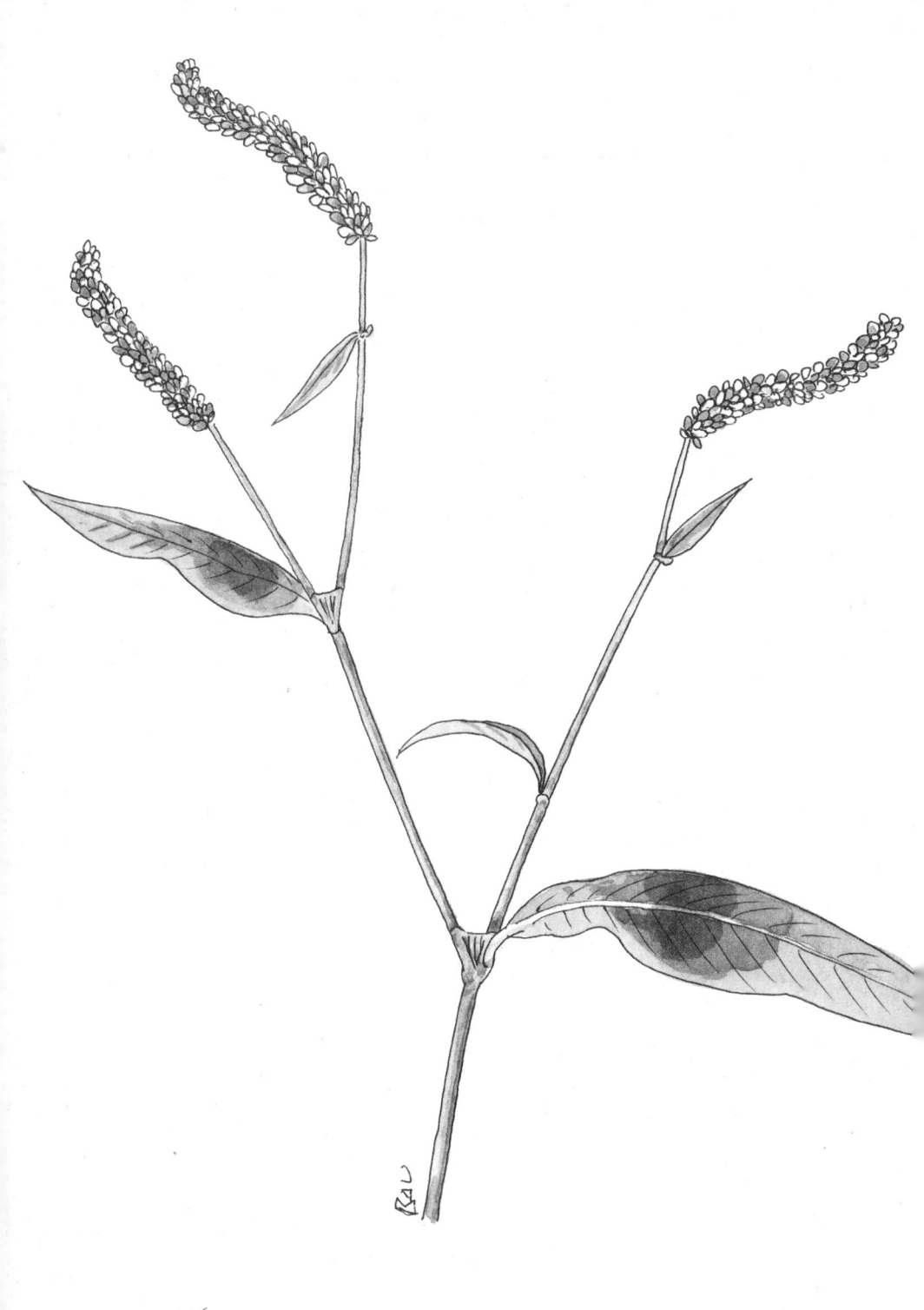

한 줄기 쑥 뽑아 와서 이렇게 너에게까지 인사를 하는 거다. 그려 놓고 보니 지금까지 그린 풀 중에 가장 맘에 들게 그려진 것 같다. 사실 여뀌는 이렇게 하나씩 떼어 놓고 보면 참 예쁜데 워낙에 무더기로 나니까 그저 귀찮은 풀처럼 보이는 거야. 이놈은 물을 좋아해서 항상 물가에 많이 난다. 어릴 적에 장마들어 족대 들고 고기 잡으러 가면, 으레 물에 잠긴 여뀌풀 속을 뒤지던 기억이 난다. 그리고 그 장마가 끝나 물이 빠지고 나면 여뀌 줄기에 걸린 비닐이나 헝겊쪼가리가 바람에 펄럭이고 있던 모습도 눈에 선하다. 아마 지금쯤 장안천 변에도 여뀌가 흐드러지게 피었을 것이다. 한 다발 꺾어다 꽃병에다 꽂아 놓고 보아도 운치가 있을 것이다. 여뀌는 지혈, 타박상, 월경과다에 잘 들으며, 잎에 매운 맛이 있어 생선회를 먹을 때 곁들여 먹는다고 한다.

요즘 사회 돌아가는 것을 보니 문민정부의 통치수법이라는 것이 군사정부보다 한술 더 뜨는 것 같아 영 입맛이 쓰다. 우리는 흔히 후진국의 독재자들이 잘 쓰는 수법으로 3S 정책이란 걸 잘 알고 있다. 대중들의 정치의식을 마비시키고 독재정권에 순종적으로 길들이기 위해 영화(Screen), 섹스(Sex), 스포츠(Sports)를 의도적으로 활성화시킨다는 것이지. 브라질이나 태국 같은 나라가 대표적이다. 그런데 분단국가인 우리는 3S가 아니라 4S로 지금까지 통치해 왔다. 또 하나의 S는 간첩(Spy)이다. 군사정권 이래 지금까지 끊임없이 결정적 순간마다 발표되는 간첩사건(또는 귀순사건, 용공조작사건)이 그것이다. 이미 YS는 대선 전략의 하나로

서 DJ에 대해 색깔시비를 걸어 정치적 치명타를 먹인 뒤 대통령이 되었다. 다시는 반복될 것 같지 않던 Spy 사건이 문민정부에 들어서서도 어김없이 계속되고 있다. 옛날하고 다른 점이 있다면 그 양상이 좀 다양해졌다고나 할까? 최근에 벌어지고 있는 시대착오적인 공안정국을 보고 있노라면 기가 막혀 말이 아니 나온다.

오늘도 신문을 보니 국회에서 웬 '또라이' 같은 의원이 공안정국을 틈타 이름 한번 날려 보려고 군내 주사파(군대 내부에 북한의 주체사상을 추종하는 무리) 문제를 들고 나왔는데, 경향신문은 아무런 설명도 없이 커다란 제목으로 '간첩 4300여 명 검거'라고 뽑아 놓았다. 마치 우리 사회가 간첩에 의해 완전 포위되어 살고 있는 듯한 인식을 주려했을까? 이것만 보아도 한국사회를 통치하는 데 있어 4S 중 하나인 Spy가 얼마나 중요한 역할을 하는지 알 수가 있다. 그러니까 나 같은 사람은 이 사회의 안정을 위해 절대로 필요한 사람이지. 나의 개인적 희생을 통해 사회가 안정을 누리고 있다고 생각하면 역설적이나마 위로가 아니 되는 건 아니다. 제기랄!

날이 뜨거워 그런지 모기는 없는데 방안에 기어다니면서 무는 벌레들에 의해 어찌나 많이 물렸는지 하루 종일 긁느라고 정신이 없다. 아침에 복도로 나오면 옆방 동료와 간밤에 몇 방 물렸나 세어서 경쟁하고 있단다. 현재까진 홍순이가 제일 많이 물렸는데, 물린 자국의 면적은 내가 가장 넓을 거야. 긁어서 키웠거든. 아직도 범인이 무엇인지 모르고 있다. 이만 줄인다. 으~ 가려워라.

거미
날씨가 더울수록 활개치는 동물

날씨가 더울수록 활개치는
동물이 있다. 거미. 이놈들의 번식은 참으로 대단하다. 지금 내 방
에는 거미 한 열 대여섯 마리 정도가 천장에 거미줄을 쳐 놓고 서
식 중이다. 한 평짜리 방의 상층부는 거의 거미가 장악했다 해도
과언이 아니지. 거미가 이렇게 많게 된 것은 내가 게을러서가 아
니라(사실 조금 게으르지만) 그놈들을 차마 죽이지 못해서 내버려
두었더니 그리된 것이다.

오늘 나는 엄청난 거미 살육을 하고야 말았다. 태풍이 분다고
해서 창문을 끼려고 창틀 청소를 하다가 창틀의 오목진 곳에 거미
줄로 칭칭 감긴 고치 같은 것이 붙어 있길래 무심코 확 잡아뜯었
더니 우수수 하고 마치 명태알처럼 생긴 거미알 수백 개가 쏟아지
는 것이었다. 휴지로 쓸어 담아 버렸지. 자세히 보니 그런 것이 또
하나 있길래 역시 휴지로 싸서 버렸다. 그런데 그 옆에 또 하나 있
었다. 손으로 뜯어보니 이번엔 알이 아니라 이미 부화된 새끼거미
들이 새까맣게 엉겨 있는 것이었다. 부화된 지 얼마 아니 된 듯 알

에 다리만 붙어 있는 형상이었다. 이놈들이 떨어지지 않으려고 꽁무니에 거미줄을 붙여서 바둥대는데 참으로 가관이었다. 이 엄청난 수의 새끼거미를 놔두었다가는 내 잠자리가 엉망이 될 것 같아할 수 없이 또 휴지로 싹 닦아 내었다. 이렇게 해서 난 오늘 수백마리의 새끼거미들을 살육했던 것이다. 제발 오늘 밤 꿈자리가 사납지 말아야 할 텐데…….

요즘 내 방에 붙어 있는 가로세로 1미터 크기의 창문을 보고 있노라면 약육강식이 지배하는 이 세상을 보고 있는 것 같다. 그야말로 먹고 먹히는 살육전이 벌어지는 삶의 전쟁터이지. 저녁 어스름이면 낮에 창살 구석에서 쉬고 있던 거미들이 일제히 뛰쳐나와 제각기 자기가 좋아하는 자리에 집을 짓는다. 많이 칠 때는 2제곱미터의 공간이 빽빽할 정도로 치니 가히 우리 방의 방공망은 완벽하다 할 수 있지.

신기한 것은, 거미들은 결코 남의 집 앞에 얌체같이 자기 집을 짓지 않는다는 것이다. 큰 놈 둘이 마주치면 집짓기 전에 지들끼리 싸워서 그중 이긴 놈이 좋은 자리에 집을 짓는다. 그러면 작은 거미들이 나머지 공간을 제각각 차지한다. 거미들이 어떻게 하여 날벌레들이 가장 잘 다니는 코스를 골라서 그 자리에 정확히 집을 짓는지 그 측량 기술이 신기하기만 하다. 이렇게 거미줄을 완전히 쳐 놓으면 눈 먼 날벌레들이 내 방의 형광등 불빛을 보고 달려들다 죄다 걸려들고 말지. 물론 재주 좋은 놈들은 곡예 하듯이 거미줄 사이를 넘나든다. 날파리나 하루살이 따위가 걸려들 때마다 창

살에 이마를 기대고 들여다보면 거미란 놈들은 참으로 잔인하고 게걸스럽기 짝이 없다. 먹이가 잡혔다 하면 거미줄로 돌돌 말아 꼼짝 못하게 해 놓고는 대개는 꽁무니 쪽에다 주둥이를 들이박고 쭉쭉 빨아 먹는데, 어떤 때는 자기 몸집보다도 큰 노린재 따위도 겨우 몇 분 사이에 속을 다 빨아 먹고 껍데기만 남길 정도야.

내 방에는 창문과 시찰구에 모두 방충망을 해 놓아서 날것들이 별로 들어오지 않지만 그것이 그다지 튼튼하지 못해서 가끔 가다 풍뎅이나 날개미, 노린재 따위가 방충망 틈새를 낮은 포복으로 기어 들어와 활개칠 때가 있다. 보통은 방충망을 통과한 것이 대견해서 내버려 두지만, 이놈이 겁대가리 없이 내게 달려들어 귀찮게 굴면 할 수 없이 손으로 잡아 방안에 쳐 있는 거미줄 위에 척 걸쳐 놓는다. 그러면 거미란 놈이 이게 웬 떡이냐 하며 득달같이 달려들어서 금세 빈 껍데기로 만들어 놓는다. 그러니까 내 방안에 있는 거미들은 내가 고용하고 있는 외부 침입자에 대한 사형 집행인인 셈이지. 그런데 이 고용된 거미들이 나를 귀찮게 하는 때가 종종 있다. 책을 보고 있는데 줄을 타고 쓰윽 내려와서는 코앞에서 아른거리다 올라간다거나, 어떤 때는 집을 짓다 추락하여 내 얼굴을 마구 짓밟고 다닌다거나 할 때이지. 대부분은 관대히 보아 넘기지만 내 기분이 영 좋지 않을 때나 좀 심하게 까부는 놈은 내가 고용하고 있는 또 다른 사형집행인인 사마귀에게 갖다 바친다.
그런데 때로는 참으로 어처구니없는 놈을 만나기도 한다. 큰 거미들은 사리분별을 할 줄 아니까 내 앞에서 지나치게 까불다가는

목숨이 위태롭다는 것을 알지만 알에서 갓 깨어난 새끼거미들은 그런 것을 전혀 몰라. 그야말로 하룻강아지 범 무서운 줄 모르는 거지. 한번은 진짜 코딱지보다 작은 새끼거미 한 놈이 천장에서 뚝 떨어지더니 내 안경 위에 사뿐히 내려앉는 거야. 그때 마침 나는 책을 읽고 있었으므로 별로 신경을 쓰지 않고 내버려 두었지. 한참 있다 보니 이놈이 안경 언저리를 부지런히 왔다 갔다 하길래 도대체 무얼 하나 하고 안경을 벗어 보았더니 글쎄, 안경다리와 몸체 사이의 각진 곳에다가 집을 짓고 있는 게야!

루드베키아
생명력과 보존력이 뛰어난 서양 꽃

여전히 덥지만 날씨가 조금
은 수그러진 듯하다. 아래에 그린 것은 사실 야생화는 아니다. 그
러나 지금 이 꽃은 안동교도소의 삭막한 풍경을 부드럽게 하는데
상당히 중요한 역할을 하고 있는 데다 이 꽃을 소 내에 퍼트린 사
람이 바로 나이기에 서양 꽃임에도 불구하고 특별히 한자리 차지
하게 된 것이다.

이름은 루드베키아. 진노란 꽃 색깔이 몹시 강렬하여 멀리서 보
는 루드베키아 군락은 마치 노천 금광처럼 반짝거린단다. 온몸에
털이 복실복실. 역시 털이 촘촘히 난 길고 넓적한 큰 잎이 어긋나
기로 자람.
　　재미있는 것은 꽃잎. 기본적으로 여덟 장인데 얼마나 제멋대로
분열하는지, 같은 개수의 꽃잎을 보기 어려움. 내가 확인한 바로
는 스물다섯 장짜리가 최다. 루드베키아는 꽃이 피어 있는 기간도
꽤 긴 데다가 생명력과 번식력이 뛰어나서 마을의 빈터나 도로변

에 관상용으로 심으면 좋다. 실제로 사회참관 시 이곳 안동 지방을 돌아보니 시골 농가에 이 꽃을 심어 놓은 곳이 눈에 많이 띄었다. 한번 심어 놓으면 따로 관리하지 않아도 매년 새롭게 싹이 트고, 또 씨앗 발아도 잘 되니 십여 포기 심어 놓고 몇 년 후에 가보면 저절로 멋진 군락이 만들어진다. 이 꽃은 4년 전 내가 원예부에 있을 때 처음으로 받아시켜 보안과 앞 잔디밭 화단을 장식했었다.

그러나 이 화단은 철 따라 꽃을 갈아 심기 때문에 루드베키아도 꽃이 진 후에 그대로 뽑아 버리고 말았었다. 나는 꽃이 너무 좋고 생명력이 강해 이것을 한번 선보이고 버리기보다 적당한 공터에 화단을 만들어 두고두고 감상할 수 있게 하면 좋겠다고 생각했다. 마침

그 무렵 운동장에서 사람의 발길이 잘 닿지 않는 구석이 있길래 소 측의 허락을 얻어 거기에 화단을 조성하여 루드베키아를 일정한 간격으로 심었다. 그로부터 4년이 지난 지금은 그곳이 루드베키아 군락지가 되었을 뿐 아니라 소 내 다른 곳에도 수출되어 여기저기에서 노란 꽃들이 재소자들의 팍팍한 가슴을 어루만져 주고 있단다. 내가 가꾸고 있는 야생초 화단에도 물론 원년 멤버로서 굳게 자리를 지키고 있구. 그런데 이놈이 씨를 어찌나 사방에 날려 대는지 채소밭 사이마다 뿌리를 박고 자라는 통에 일일이 뽑아내느라고 고생이 많단다.

지금도 들깨밭 한가운데 차일피일 하다가 어느덧 꽃이 활짝 피어 버린 루드베키아 한 포기가 늠름하게 서 있다. 어쩌면 루드베키아는 일찍이 이 나라에 들어와 지금은 토종처럼 친근하게 여겨지는 몇 가지 꽃들—코스모스, 다알리아, 맨드라미 등의 반열에 들지도 모르겠다.

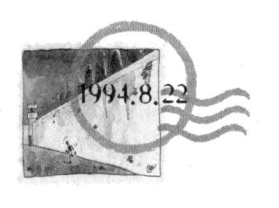

황금

花開半 酒微醉

지금 우리 화단에 피어 있는
꽃 중에 가장 화려한 절정을 맞이하고 있는 것이 여기 '황금'이란
풀이다. 꽃 하나만 놓고 보면 현호색과 닮았다. 마치 도날드덕의
얼굴처럼 생긴 보랏빛 꽃이 두 줄로 차례로 피는데, 만개한 것도
볼 만하지만 아직 덜 핀 꽃망울을 들여다보는 게 더욱 아취가 있
지. '화개반 주미취(花開半 酒微醉)'란 말 들어 보았는지? "꽃은
반쯤 피었을 때가 보기 좋고, 술은 약간 취했을 때가 기분
이 좋다."라는 뜻인데, 나는 황금꽃을 관찰하면서 이 한자말의
의미를 진심으로 받아들이게 되었다.

그림에는 미처 다 표현하지 못했는데, 덜 핀 꽃망울들을 가만히
들여다보고 있노라면 강아지를 어르고 놀 때 바짝 들어 올린 발처
럼 앙증스럽다. 고런 것이 두 개씩 쪼르르 나 있으니 영락없이 귀
염 떠는 강아지 발이 아니고 무엇이겠니? 이렇게 귀염을 다 떨고
나면 이제 퍼런 오리새끼 얼굴이 되어 꽃밭을 온통 뒤덮는다. 황
금이란 놈은 워낙 수세(樹勢)가 좋아 촉을 계속 쳐 주면 거의 한아

름 될 정도로 가지를 친다. 그 한아름 되는 수관 위로 빽빽이 고개
를 내밀고 꽉꽉대는 퍼런 오리새끼들을 한번 생각해 보아라. 시끄
럽다구? 천만에. 아주 조용하다. 그야말로 소리 없는 아우성이지.
그런데 이놈들은 힘이 없어서 하루 정도 지나 해가 높이 뜨면 아
래쪽에 붙은 꽃들부터 시들시들하다가 하나씩 땅에 떨어진다. 꽃
이 떨어진 자리엔 바로 반달처럼 생긴 씨방이 자라기 시작한다.

황금이란 이름은 꽃이 아니라 이 풀의 뿌리에서 비롯된
것이다. 뿌리 색깔이 황금빛으로 노랗다고 해서 그런 이름이 붙
었단다. 실제로 그런지 어떤지 궁금하던 차에 맨 처음 밖에서 옮
겨 심은 놈이 한 3년 되니까 저절로 죽길래
뿌리를 파 보니 정말로 샛노랗더라구.
그런데 좀 이상하지 않니? 꽃이 이
렇게 희한하고 풍성한데도 사람
눈에 보이지 않는 뿌리를 들어
이름을 붙이다니. 그 이유는
이놈의 뿌리가 한방에서 아
주 요긴하게 쓰이는 약재이
기 때문이다. 황금은 특별히
그 뿌리만을 약재로 쓰는데
적용 범위가 아주 넓다.
책에 보면 발열, 고혈압,
동맥경화, 담낭염,

127

황달, 위염, 장염, 가슴이나 겨드랑이 밑이 답답할 때 등등에 쓰인다고 하는데, 이것 말고도 한 두어 줄은 적을 만큼 듣는 데가 많은 모양이야. 옆방의 이 선생님께서 고혈압에 동맥경화가 있으므로 올해는 이놈 뿌리를 좀 캐다가 말려서 한번 달여 드려야겠다. 지금 우리 화단엔 2년생짜리가 제법 위세 좋게 자라고 있거든.

까마중

작고 동그란 '시꺼멈' 속에 조물주의
완전하심이 다 들어 있다

오늘은 까마중을 그렸다. 시
골에서는 '먹달'이라고도 한다. 너도 잘 알지?
어렸을 때 곧잘 시커먼 열매를 따 먹었지. 우리
화단에도 해마다 잊지 않
고 까마중이 자란다.
하도 잘 자라 나는
대로 뽑아 버려도
어느새 여기저기

에서 돋아난다. 이놈은 그 와중에 운 좋게 끝까지 남아 이렇게 탐스런 열매를 맺었다. 그림을 다 그리고 모조리 따서 입 속에 넣었는데 달짝미적지근한 게 어릴 때 먹던 그 맛이 영 아니더군. 아마 내 입맛이 변해 버린 모양이다. 까마중 잎은 독성이 있어서 먹지는 않으나 어린 잎 정도는 다른 야생초와 섞어 먹어도 무방하다.

까마중은 가지과 풀로서 열매 빼고는 가지와 아주 흡사하다. 특히 꽃 모양은 가지와 구별되지 않을 정도로 똑같다. 까마중 역시 전통적으로 한방약재로 흔히 쓰였던 것으로 아직도 시골에서는 한방 처방약으로 자주 이용되는 모양이다. 책에 쓰인 적용 증세가 위낙 많아 여기 옮기진 않는다. 옮겨 적는다 한들 당장 도움이 되는 것도 아니고. 지지난달인가 《한방과 건강》이란 월간지를 보니 까마중 특집을 싣고는 까마중의 온갖 약효와 이용법에 대해 장황히 설명해 놓았더라구. 그 잡지가 교무과 사무실에 있어서 오늘 여기에 참조하진 못했지만 아무튼 까마중이란 놈은 우리 주위에 나는 가장 흔한 풀이면서도 뛰어난 약효를 지니고 있는 우리의 민초(民草)임에 틀림없다. 만약 내가 밖에 있었다면 야생초의 약효에 대해 여러 가지로 실험해 보았을 텐데, 여기선 워낙에 수량이 적어서 그럴 여유가 없다. 너는 포도송이가 좋다고 그랬나? 나는 포도송이의 그 빽빽함이 오히려 거북하게 느껴진다.

차라리 새까맣게 익은 까마중송이를 들고 가만히 들여다보아라. 먹고 싶은 생각은 안 들겠지만, 작고 동그란 '시꺼멈' 속에서 뭔지 모를 마력 같은 것을 느낄 수 있을 것이다. 조물주의 완전하심이 그 안에 다 들어 있으니까.

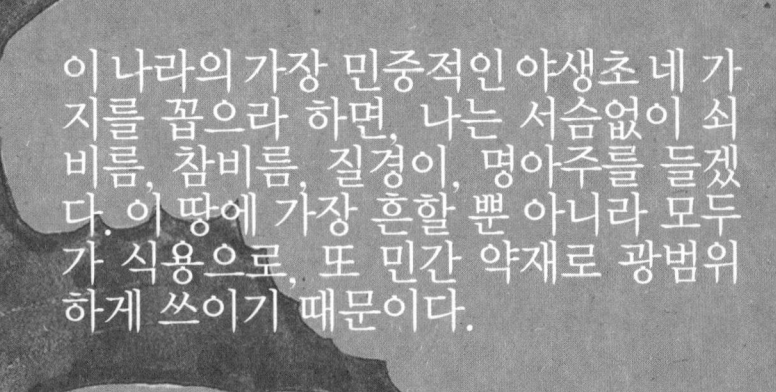

이 나라의 가장 민중적인 야생초 네 가
지를 꼽으라 하면, 나는 서슴없이 쇠
비름, 참비름, 질경이, 명아주를 들겠
다. 이 땅에 가장 흔할 뿐 아니라 모두
가 식용으로, 또 민간 약재로 광범위
하게 쓰이기 때문이다.

목표물을 향한
무한한 인내심

사마귀 생태에 관한 첫 번째 보고서

오늘은 전에 말한 대로 사마귀 얘기를 좀 할게. 위에 그린 놈은 지금 내 방 창틀에 붙어 있는 놈을 얼추 스케치해 본 것이다. 요즘은 사마귀들이 한창 극성을 부릴 때이다. 아침에 일어나면 쇠창살에 사마귀들이 보통 대여섯 마리씩 붙어 있을 정도이니까. 어떤 땐 이놈들이 방안까지 들어와 자고 있는 얼굴 위로 푸다닥거리며 날아다녀 잠을 깨우기도 한다. 징역을 처음 살 때는 방안에 들어온 사마귀가 징그러워서 들어오는 족족 잡아서 창 밖으로 내다 버리곤 했는데, 독방 생활을 오래 하다 보니 사마귀야말로 거미와 함께 소중한 친구가 아닐 수 없구나. 해서 지금은 방에 있던 사마귀가 밤새 어디로 가 버리거나 하면 서운하여 여기 기웃 저기 기웃 한단다.

당랑거철(螳螂拒轍)이란 말 아는지? 사마귀(당랑)란 놈이 자기 앞에 있는 커다란 수레를 두 팔로 막고 서서는 못 가게 한다는 말인데, 제 분수를 모르고 무모한 일을 하는 사람을 두고 하는 말이

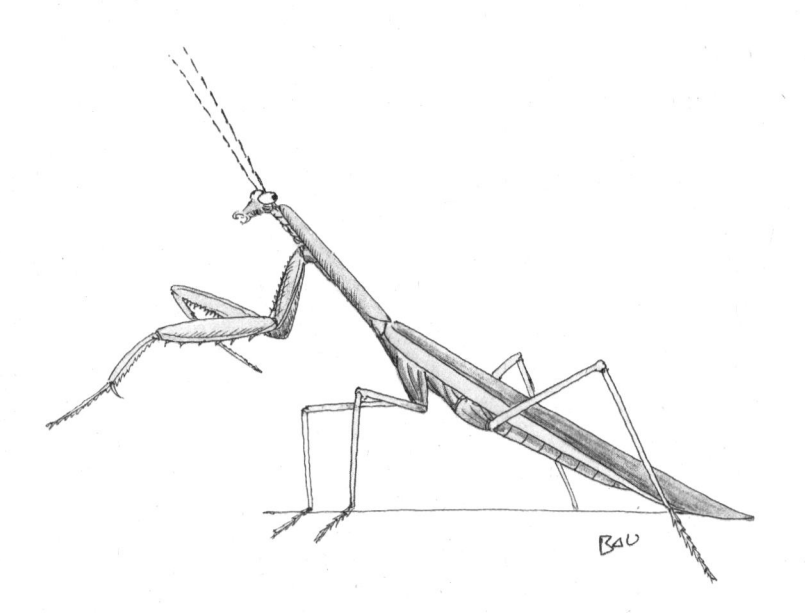

지. 그런데 정말 사마귀란 놈은 겁이 없데. 아니, 겁이 없다기보다는 자기보다 큰 존재에 대해서는 도대체 감각이 없는 것 같아. 손으로 잡으려 해도 도망갈 생각을 아니 하고 마치 막대기처럼 꿈쩍 않고 있는 거야. 오랫동안 관찰한 결과 사마귀가 용맹하다기보다는 사마귀의 생태상 그렇게 보일 뿐이다. 말미잘이나 송충이, 자벌레 따위가 적을 보고 도망가는 것을 본 적이 있나? 그것들은 적에게 대항하거나 도망가는 것이 아니라, 자신의 몸을 주변 환경속에 은신시켰다가 먹이가 눈앞에 지나가면 잡아먹는 스타일의 생물들이다. 사마귀도 그래. 이놈이 먹이를 사냥하는 모습을 보면 정말 기가 막혀. 그 길다란 몸을 나뭇가지 사이나 문기둥 사이

에 붙여 놓고 몇 시간이고 꼼짝 않고 있는 거야. 마치 원래부터 있었던 지형지물처럼. 그러다가 거미라든가 무슨 벌레가 그 앞을 지나가면 번개 같은 동작으로 앞발을 내밀어 잡아서는 마구 씹어 먹는다.

내가 방에 있는 거미 중에 사상이 불온한 놈들을 잡아서 사마귀에게 형 집행을 맡긴다는 말을 했었지? (자신의 처지를 봐서도 사실 그래서는 안 되는데…….) 거미를 잡아서 빨리 도망치지 못하게 앞다리 하나쯤을 떼어 낸 뒤 사마귀 앞에 놓으면 아주 재미있는 일을 구경할 수 있다. 거미란 놈은 자기보다 큰 적을 만나면 후닥닥 도망가거나 그것이 여의치 못할 때는 사지를 경직시킨 채 죽은 시늉을 한단다. 사마귀는 절대로 죽은 벌레는 먹지 않거든. 그러니 움직이지 않는 물체를 공격하지 않는 것은 당연하지. 만약 거미가 그 팽팽한 긴장 상태를 깨고 도망가려고 첫발을 내딛는 순간 사마귀는 전광석화처럼 그 긴 앞발을 뻗어 잡아 버리고 만다. 거미가 사마귀의 앞발이 미치지 못하는 거리에 있을 경우 사마귀 녀석의 움직임은 그야말로 음흉스럽기 그지없다. 목표물을 향해서 덥석 덮치거나 하는 행동을 예상하고 이놈의 움직임을 지켜보다가는 아마 웬만한 사람들은 지레 지쳐서 나가떨어지고 말 거다. 목표물을 향해서 얼마나 천천히 접근하는지 언제 보아도 마치 제자리에 있는 것 같은 착각이 들 지경이란다. 군대 훈련 중에 '야간 정숙 보행'이란 것이 있다. 칠흑 같은 밤에 적의 진지를 침투할 때 하는 보행인데, 무한한 인내심을 가지고 시속 몇 미터의 속도로 움직여 나가는 것이다. 사마귀란 놈이 목표물에 접

근하는 모양이 꼭 그렇다. 이렇게 움직이지 않는 것처럼 접근해서 목표물이 사정거리에 들어오면 그대로 덮쳐 버리는 거야.

한번은 이런 일이 있었다. 창틀에서 새끼거미 한 마리가 줄을 타고 주르륵 내려오다가 그만 밑에 있는 사마귀와 부딪혔단다. 사마귀도 무언가 자신의 둘째 발에 부딪힌 것 같았는지, 그쪽을 휙 노려보았다. 그러자 이 새끼거미가 일체 동작을 중지하고 사마귀의 둘째 발 중간에 떡 하니 붙어 버린 거야. 마치 죽은 듯이. 이놈이 얼마나 급했는지 다리 여덟 개 중 두 개는 미처 접지도 못하고 뻗정다리인 채로 굳어 버리고 만 거야. 얼마나 우스꽝스럽니? 마치 "웃음놀이 합시다, 모두 다 합!" 하고는 중지한 것처럼 야릇한 자세로 사마귀 발에 붙어 있는데 놀랍게도 10분이 넘도록 그 자세로 꼼짝 않는 거야. 움직이지 않는 것에는 공격을 않는 사마귀도 드디어는 별것이 아닌 것으로 판단했는지 고개를 쓱 돌려 버리더라구. 그 순간을 놓치지 않고 새끼거미가 도망치는데 참말로 빠르데. 호랑이 아가리까지 갔다가 살아 돌아온 놈이라고나 할까나?

그런데 사마귀란 놈은 정말 잔인하데. 웬만한 중치거미 한 마리 잡아먹는 데 몇십 초도 안 걸려. 거미 발톱 하나 남기지 않고 모조리 씹어 삼키는 모습은 정말 끔찍하다. 한번은 이놈이 햇빛을 역광으로 받은 채로 거미를 잡아먹고 있었는데 햇빛 때문에 기다란 몸속으로 으깨어진 거미가 꿀떡꿀떡 넘어가는 모습이 훤히 보이더라구. 무엇보다 잔인한 것은 이놈들은 교미가 끝난 후 암컷이

수컷을 잡아먹는 것이다. 교미도 한번 붙었다 하면 네다섯 시간은 보통이야. 며칠 전 이 선생님 방에 있던 사마귀가 교미 후 암컷이 수컷을 잡아먹었는데, 날개와 딱딱한 다리 일부만 남기고 깡그리 먹어치우더라구. 말로만 듣던 사마귀의 잔인함을 확인하는 순간 이었지. 이렇게 잔인한 사마귀이지만 이제는 둘도 없는 친구가 되어 함께 잘 살고 있다. 사마귀가 극성을 부리자 방에 있던 십여 마리의 거미가 겨우 두 마리만 남고 싸그리 없어졌다.

1994.8.26

마듭풀

먹을 수도 없는 게
자라기는 억시게 잘 자라는 풀

3 3 3 3 3 3 5 5 5 5 7 9 11 11 13 14 15……

여기에 나열한 숫자가 무엇을 뜻하는지 알겠니? 한번 이 숫자에서 규칙성을 찾아보아라. 소설 ≪개미≫에 보면 이와 비슷한 수수께끼가 나오지? 정말 기발한 문제였다. 그러나 아마 이 문제는 개미의 저자인 베르베르도 풀지 못할 거다. 못 푸는 것이 당연한 게 여기에는 규칙성이 없거든(아니, 아직은 100% 확신 못함).

위 숫자들이 무언고 하면 가죽나무씨가 발아하여 떡잎이 떨어지고부터 나타나는 본 잎의 장수 변화란다. 처음에 3장짜리가 여섯 번 나오고 나서 5장짜리 네 번, 이런 식으로 현재 15장짜리까지가 나와 있다. 가죽나무잎은 꼭 아카시아잎처럼 생겼다고 생각하면 된다. 현재 열다섯 장이니까 앞으로 몇 장짜리까지 나올지는 모르겠다. 나는 처음에 13장이 마지막이려니 했는데 지금 같은 추세라면 17장짜리도 가능하다.

138

웬 가죽나무? 사실은 나도 방안
에서 가죽나무를 기르게 될 줄은
꿈에도 몰랐다. 그러니까 얘기는
봄으로 거슬러 올라간다. 봄에
밭에다 들깨씨를 뿌려 놓고
싹이 나오기만 기다렸지.
한 일주일 지나니까 싹이
다 올라오데. 처음엔 몰
랐는데 들깨가 얼추 모양
을 갖춰 가는 시점에 들깨 사
이에 꼭 복숭아처럼 생긴 싹
이 돋아나는 거야. 뭘까 하고
아무리 들여다보아도 정체를
알 수가 있어야지. 한 두 달을 그
렇게 내버려 두었는데 땅이 워낙
박한 데다 들깨 사이에 묻혀 있으
니 영 자라질 않는 거야. 평소에
잡초만 보면 뽑아 버리는 이 선생
님께 저것은 좀 특이한 것 같으
니 뽑지 마시라고 부탁해 놓고
아무리 기다려도 클 생각을
안 하는 거야. 딱하기도 해
서 그놈을 파내어 조그만

비닐화분에 부엽토를 담아 심어서는 내 방으로 옮겨 왔다. 매일같이 물을 주고 정성을 들이니까 부쩍부쩍 크는데 정신없이 빨리 자라더라구. 거의 일주일에 한 번씩 이파리를 갱신하며 자라는데 작은 화분으로는 감당할 수 없어 얼마 전엔 큰 화분으로 옮겼다. 그랬더니 더욱 왕성하게 자라는 것은 불문가지.

그런데 문제는 이놈의 이름을 모르겠다는 거야. 모양새로 보아서 풀은 아닌데……. 내가 야생초 도감을 가지고 있어도 나무도감은 없거든. 명색이 농대에서 임업 교육을 전공했는데 이깟 나무 이름 하나 몰라 쩔쩔매어서야, 하며 백방으로 뒤진 끝에 겨우 알아내었지. 가죽나무. 유명한 나무다. 분명히 임경빈 교수님의 수목학 시간에 이 나무에 대해 장황한 설명을 들은 기억이 난다. 키가 크게 자라는 교목으로 가로수로 널리 쓰이기도 한다. 임 교수님이 쓴 ≪나무백과≫의 첫 페이지에 나오는 나무이기도 하지. 주변 사람들도 나뭇잎의 특이한 냄새로 가죽나무임을 확인해 주었다. 냄새가 어찌나 야릇한지 언뜻 맡으면 구수한데, 코를 처박고 한참동안 맡으면 골이 띵해. 이파리를 손으로 비비면 냄새가 진동을 한다. 잎은 따 먹는다는데, 따 먹기에는 아직 너무 어리다. 내년 봄에 거름을 잘 해서 햇빛 잘 드는 화단 한구석에 옮겨 심어야겠다.

옆에 그린 것은 '매듭풀'이란 것이다. 풀밭에 가면 토끼풀만큼이나 흔한 한해살이풀이지. 이놈이 화단 중간쯤에 자리잡고 해마다 무더기로 나고 지고 나고 지고 하는데, 워낙에 번식력이 좋아

다른 구역에 나는 놈은 다 뽑아 버린다. 그렇지 않았다가는 온통 매듭풀 밭이 될 테니까. 책에 보면 매듭풀을 먹을 수 있다고 돼 있으나, 실제로는 뻣뻣해서 도저히 먹기 힘든 풀이다. 그림의 아래쪽에 달려 있는 꽃을 잘 보길 바란다. 그동안 이놈이 그렇게 나고 지고 해도 꽃 피는 것 한번 못 보았는데 오늘 엉뚱한 장소에 외로이 나 있는 매듭풀에서 활짝 핀 꽃을 본 거야. 너무도 예쁘고 귀여워 고대로 그리려고 애를 썼지만 역부족이다. 사실 좁은 화단에 먹을 수도 없는 것이 자라기는 억시게 잘 자라는 매듭풀 같은 것은 골치 아프다. 그런데 이런 놈일수록 뽑으면 뽑을수록 더 잘 자라니……

땅빈대
흰 피를 뚝뚝 흘리며 울부짖는

오늘 오랜만에 노동을 좀 했
다. 땡볕이 조금 수그러들었으니 슬슬 가을 배추나 좀 갈아먹을
까 해서 밭고랑 두 개를 갈아엎었다. 그동안 이 선생님이 매일같
이 퍼다 나른 '똥 + 짬밥' 썩은 것들을 흙과 잘 섞어 밭고랑을 만
든 것이다. 삽 든 김에 일한다고 여름내 내버려 두었던 풀들을 싸
그리 뽑아 밭고랑 한 구석에 자리를 마련하여 퇴비 무덤을 만들
었다.

풀들을 걷어 내면서 보니 흰 피를 뚝뚝 흘리며 울부짖는 것이
있었다. 개체 수도 꽤 되었는데, 여기 그린 '땅빈대'라는 놈이다.
잎사귀는 그런 대로 보이는데 꽃은 돋보기를 들이대어야 겨우 관
찰할 수 있는 작은 꽃이다. 이것은 실물 크기의 세 배 정도는 될
것이다. 아마 땅빈대를 이렇게 상세히 그린 도감은 없을 것이다.
이놈은 이름 그대로 땅에 바짝 붙어서 기어다닌다. 지금까지 내가
관찰한 풀들 중 이끼류 빼고는 땅에 가장 바짝 붙어 자라는 풀이
다. 어찌나 찰싹 붙어 있는지 발로 쾅쾅 밟아도 타격을 입지 않을

정도야. 그런 만큼 줄기가 질기기도 하지. 줄기를 똑 끊으면 흰 즙이 뚝뚝 떨어진다. 흰 즙을 내는 대부분의 풀들이 그렇듯 이 것도 벌레 물린 데나 상처에 바르면 쉽게 아문다.

땅빈대는 정말 희한한 특징을 많이 가지고 있는 풀이다. 먼저 이놈은 다른 풀과는 달리 일종의 보호색을 가지고 있다. 위에 그린 것은 땅빈대의 선단부를 그린 것이라 잎사귀가 무성해 보이지만 전체를 놓고 보면 잎보다 줄기가 더 무성하다. 그런데 이 줄기가 땅색인 데다 땅에 바짝 붙어 나니

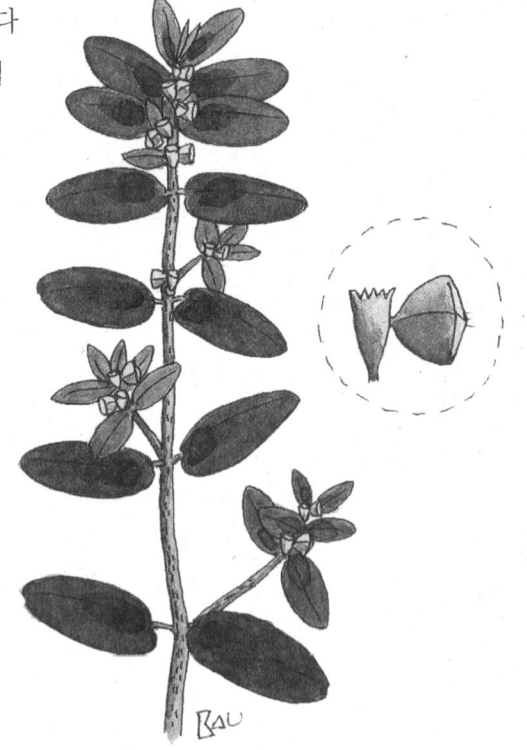

까 눈에 잘 안 띄는 거야. 게다가 잎새 가운데에 고동색 반점이 있으니 더 헷갈리지. 이놈은 방사상으로 줄기를 뻗은 뒤 각 마디마다 또 줄기를 사방으로 뻗으니 잘 자란 놈을 뽑아들면 마치 돗자리 방석을 보는 듯하다. 아무리 길게 뻗어야 직경 30 ~50센티를 넘지 않는다. 나는 땅빈대를 보면서 다시 한번 식물의 능동적 방어기제를 확인한다. 사람이 잘 다니는 길가에 난 땅빈대는

아주 납작하게 땅에 붙어 나지만, 사람의 발길이 뜸한 공터에 난 놈은 줄기가 제법 하늘로 향해 있더라구. 그러니까 이놈들이 땅에 바싹 붙어 나는 것은 특별히 땅이 좋아서라기보다 자기 보존 본능에 의해서이지.

땅빈대의 꽃은 아마 희한한 꽃 콘테스트에 나가면 틀림없이 상위 입상을 할 것이다. 너무 작아서 맨눈으로는 잘 보이지 않지만, 돋보기를 들이대고 자세히 보면 이게 도대체 꽃인지 뭔지 알 수 없는 형태를 하고 있어 어리둥절하다. 보통으로 생긴 원추형 꽃기둥 중간에 마치 됫박같이 생긴 씨방을 달고 있는 거야. 점선 원 안에 자세히 그려놓았다. 이렇게 괴상하게 생긴 놈들이 마디마다 다닥다닥 붙어 있어 도대체 이게 무엇일까 하고 들여다보지만 너무 작아서 잘 보이지 않으니 요리조리 들여다보다가는 그냥 짜증을 내고 던져버리기 일쑤이지. 땅빈대는 장준근 씨의 도감에도 없는 것으로 보아 그 용도라든지 생태 따위가 아직 제대로 연구된 풀이 아닌 모양이다.

그동안 야생초에 관심을 기울여 오면서 느끼는 것인데, 하루빨리 정부는 국책 차원에서 '야생초 연구소'를 건립해야만 한다는 것이다. 제약회사나 화장품회사 등지에 야생초 연구소가 있는 건 사실이다. 하지만 이런 것들은 존재 이유가 이윤 동기에 있으며 연구 목적도 제한적이므로 생태계의 보전과 국민복리증진이라는 큰 목적과는 거리가 있다. 야생초는 그야말로 천지에 지천으로 깔린 보물과도 같다. 이러한 보물들을 단순히 소 여물이

나 관상용으로 내버려 둔다는 것은 이만저만 손해가 아니다. 어쩌면 야생초 속에서 현재 고갈되어 가는 온갖 천연자원들의 대체물들을 찾아낼 수 있을지도 모른다. 뿐만 아니라 난치병을 위한 약과 대중들이 손쉽게 구할 수 있는 약도 모두 야생초 속에 있다. 이런 곳에 투자를 아니 하고 어떤 곳에 투자를 한단 말인가?

정글의 법칙

사마귀 생태에 관한 두 번째 보고서

　　　　　　　지난번에 썼던 첫 번째 보고
서는 자연 상태에 있는 사마귀에 대한 관찰 결과였다. 그러나 자
연상태에서는 정작 내가 궁금해하는 장면을 볼 수가 없기에 어제
처음으로 사마귀를 잡아다 휴지통에 넣고, 위에 투명유리를 덮은
뒤 하루 종일 관찰하였다. 관찰하고자 하는 것은 두 가지. 놈들의
식사 행위와 교미 모습을 가까이서 보기 위해서이다.

　플라스틱 통에 먼저 암컷 큰 것 한 마리와 수컷 큰 것 한 마리,
그리고 수컷 작은 것 두 마리를 함께 넣었다. 사마귀 먹이로는 거
미를 중치 한 마리, 작은 것 한 마리를 넣어 주었다. 그들에겐 안
된 일이지만 정말 지옥 같은 환경을 만들어 준 거지.

　지난 편지에 내가 사마귀의 용맹성에 대해 의문을 표시했었는
데, 이번 관찰 결과 그것을 수정한다. 사마귀는 정말 용맹무쌍하
고 겁을 모르는 놈이다. 때로는 정말 무모하리 만치 만용을 부리

기도 한다. 당랑거철이란 옛말이 하나도 틀린 말이 아니다. 먼저, 작은 거미는 내가 한눈파는 사이에 잡아먹어 버려서 어떤 놈 짓인지 잘 모르겠으나 다 먹지 않은 것으로 보아 작은 놈 짓으로 추측했다. 큰 놈은 다리까지 알뜰하게 먹어치우거든. 중치 크기의 거미는 틀림없이 큰 사마귀에게 잡혀 먹으리라 예상했는데, 이것이 엉뚱하게도 작은 놈에게 먹혀 버리고 말았다. 작은 사마귀 한 놈이 자기 머리통보다 서너 배는 큰 거미를 앞발로 덥석 잡더니 발버둥치는 것도 아랑곳 않고 거미 똥구녕에 머리를 박고는 다짜고 짜로 파먹더라구. 한 절반쯤 파먹었을까, 고만큼만 먹어도 배가 부른지—덩지가 작으니 그럴밖에—고개를 쳐들더니 휙 던져 버리더라구. 거미는 바닥에 떨어져 잠시 발버둥치더니 그만 잠잠해지더군. 작은 사마귀라고 결코 얕잡아 보아서는 안 된다는 것을 알게 되었다.

　이리하여 거미를 잡아먹고 의기양양해진 이놈이 갑자기 펄쩍펄쩍 뛰더니 자기 몸의 세 배나 되는 암놈 등에 턱하니 올라타는 것이었다. 덩지 차이가 얼마나 크던지 마치 고목나무에 매미가 달라붙은 형상이었다. 그런데도 작은 놈은 지가 수컷이라고 암놈 등위에 찰싹 붙어서는 계속 유혹의 몸짓을 해 대는데 옆에서 보기에도 가관이더라구. 내가 봐도 도저히 매치가 될 것 같지 않은데 작은 놈은 끈질기게 자신의 꼬리를 꼬부려 암컷 배에 부벼 대는 거야. 아니나 다를까, 암놈은 우습지도 않다는 듯 문을 열어 주지 않더군. 이것으로 보아 이놈들의 교미도 암수가 사인이 맞아야 이루어진다는 걸 알았다. 참고로, 사마귀의 교미는 수컷이

등위에 올라타서 꼬리를 갈고리 모양으로 구부려 암놈의 꼬리 끝부분 옆으로 다가가는데 이때 암놈의 성기가 벌어지면 그리로 삽입하여 이루어진다. 암놈이 생각이 없으면 꼬리 끝부분이 한사코 열리지 않는다. 이 교미 방식은 사마귀뿐 아니라 모든 메뚜기류가 다 같다.

결국 쬐꼬만 수놈이 하다하다 안 되니까 내려오더군. 그동안 정면에서 한 시간 가까이 이 장면을 노려보고 있던 큰 수놈이 드디어 기회가 왔다는 듯 성큼성큼 다가가더니 암놈 등에 올라탔다. 예의 똑같은 유혹의 동작을 거듭하기 10여 분, 암놈은 자기와 어울리는 쌍이라고 생각했는지, 조심스럽게 꼬리 끝을 벌리더라구. 드디어 삽입. 내가 지난번 편지에 사마귀의 교미 시간을 4~5시간이라고 했는데, 이것도 수정해야겠다. 어제 이놈들 교미하는 것 들여다보다가 내가 아주 지쳐 버리고 말았다. 아침 10시에 시작한 일이 하루 종일 지나 저녁 8시에야 끝이 난 거야. 무려 10시간을 붙어 있었던 것인데, 중간에 꼬리를 풀고 두 번을 쉬기는 쉬더군. 게다가 암놈은 내가 밥먹느라고 한눈파는 사이에 교미 상태에서 사마귀 작은 놈 하나를 잡아먹었는지 나중에 와 보니 앞다리하고 날갯죽지만 떨어져 있더라구. 징헌 놈들!

저녁 8시쯤에 이제 할 만큼 했는지 수놈이 암놈 등에서 내려왔다. 교미가 끝나면 보통 암컷이 수컷을 잡아먹는데, 이 경우는 상황이 좀 달랐다. 암놈은 이미 교미 중에 식사를 '드셨고', 또 수놈의 덩지가 워낙 커서 잡아먹힐 정도가 아니었다. 문제는 이 수놈이었다. 하루 종일 암놈 위에서 용을 썼으니 얼마나 허기지고 피

148

곤하겠어? 아니나 다를까, 암놈 등에서 내려오자마자 하나 남은 사마귀 작은 놈을 덥석 덮치더니 모가지부터 아작아작 씹어 먹더라구. 목 부분을 다 먹더니 다음엔 머리통을 다 먹고, 배 부분은 절반쯤 먹다가 버리더군. 진짜 끔찍했지. 어떻게 저렇게 자기 동족을 서슴없이 잡아먹을 수 있는지……. 내가 알기로도 자기 종족을 잡아먹는 것은 생물계 내에서도 아주 희귀한 일인데, 이 사마귀란 놈들은 특이한 멘탈리티를 지니고 있는 것 같아. 어쨌거나 어제 저녁 플라스틱 통 안에 정글의 법칙이 정확히 적용된 결과 힘세고 덩지 큰 사마귀 암수 두 마리만 살아남게 되었다.

오늘 나는 이놈들에 대해 볼 것을 다 보아 버렸으므로 더 이상 괴롭힐 이유가 없어 모두 밖으로 날려 보냈다.

한 가지 재미있는 사실은 사마귀 알이 정력제로 사용된다는 것이다. 한방에 의하면 뽕나무에 슬어 놓은 사마귀 알은 아주 잘 드는 정력제라 한다. 글쎄, 자고로 교접 시간이 터무니없이 긴 동물들 뱀 따위의 알이나 장기 일부가 강장제로 쓰이곤 하는데, 일부에서는 이것을 말도 안 되는 속설이라고 일축하기도 하지. 즉 그것들이 장시간 교접하는 것은 정력이 좋아서가 아니라 특이한 생체구조 상 그 정도의 시간이 경과되어야 비로소 수정이 된다는 것이지. 그도 그럴 것이 새들의 교접을 보면 단 몇 초 동안 비벼 대는 사이에 수정이 이루어지거든. 심지어 어떤 동물은 직접 삽입하지 않고도 수놈이 곁에서 슬쩍 마찰만 해 주어도 수정이 되는 것도 있다.

생물들의 성행위에는 참으로 재미있는 것이 많다. 그러나 기본적으로 음양의 접합이라는 점에서 식물이나 동물이나 인간이나 똑같다. 원리적으로 그럴 뿐 아니라 생체구조적으로도 그렇다. 최근에 ≪Sex in Nature≫란 책이 번역되어 나왔다 하는데 이를 읽고 나면 여러 가지로 깨닫는 바가 많을 것 같다. 그땐 더욱 재미있는 얘기를 해 줄게. 이젠 거미와 사마귀와도 '바이바이' 야. 거미는 사마귀가 다 잡아먹었고, 사마귀는 질려서 다 쫓아 버렸으니까.

수까치깨
연약하면서 끈질긴 풀

오늘이 8월의 마지막 날. 내일이면 마치 가을이 시작될 것만 같은 기분이다. 허나 날씨는 여전히 후덥지근. 혹시 '수까치깨'라는 풀 이름 들어 보았는지? 여기 그린 풀의 이름이다. 아무리 들여다보아도 까치랑 깨하고는 인연이 없는 것 같은데 어째서 그런 이름이 붙었는지 모르겠다. 이 풀은 지금까지 내가 본 야생초 중 가장 부드럽고 수줍음 잘 타는 풀이다. 아주 여성적이라고 할까? 잎 전체에 아기의 귓볼에 나 있는 것 같은 솜털이 뒤덮여 있어 만지면 아주 부드럽다. 수줍다는 것은 꽃 때문이다. 쬐꼬만 노란 꽃이 담담하게 이파리 위로 나 있는 것이 아니라 이파리 뒤에 수줍은 듯이 나 있기 때문이지. 꽃이 지고 나면 마치 녹두 열매처럼 길다란 것이 자란다. 이 수까치깨는 장준근 씨의 ≪몸에 좋은 산야초≫에는 나오지 않지만, 나는 맛이 순하고 담백하여 자주 따 먹는다. 풀 모양이 순하게 생겼듯이 날로 그냥 막 씹어 보아도 전혀 비린내가 나질 않아 모듬야생초무침을 해 먹을 때 분량 채우기에는 안성맞춤이지. 그런데 이놈

은 좀 이상한 특성이 하나 있다. 이놈은 주변환경이 아주 안 좋거나 뿌리가 일부 들렸거나 하여 몸에 이상이 오면 수평으로 나 있는 잎사귀를 수직으로 내려뜨려서 모두 땅으로 향하게 한다. 이놈을 최초로 옮겨 올 때 그랬다. 3년 전 임하댐으로 사회참관 갔었을 때, 댐 앞에 조성해 놓은 잔디 공원에서 잠시 쉬었더랬다. 그 잔디 공원은 조성한 지 얼마 되지 않아서 잔디 사이에 벌건 흙이 볼썽사납게 드러나 있었고, 군데군데 알지 못할 야생초들이 돋아나 있었다. 아직 봄인지라 모두들 겨우 한 뼘이나 될까 할 정도의 어린 풀들이었지.

공원 관리소에서는 인근 지역의 아줌마들을 고용하여 잔디밭에 난 잡풀을 뽑아 내게 하고 있었다. 내 앞 저쪽에도 아줌마 두 분이 호미를 들고 열심히 뽑고 있길래 저 아주머니들이 예까지 오기 전에 얼른 건지자 하고 나도 쇳조각을 하나 주워들고 달겨들었다. 남들은 벤치에 앉아 사이다 마시고 있는데 나는 땀을 찔찔 흘리며 풀이나 뽑고 있었던 거지. 이날 옮겨 온 것 중 지금까지 자라고 있는 것이 여럿 있다. 수까치깨도 그중

하나인데(물론 그땐 이름도 몰랐음) 처음부터 잎사귀들이 모두 땅을 향하고 있기에 참 이상한 풀이로구나 했지. 교도소로 돌아와 운동장에 옮겨 심고도 상당히 오랜 기간 동안 그런 상태로 있길래 원래 그렇게 생겨 먹은 풀인 줄만 알고 있었다. 그런데 한 두 달 정도 지나 뿌리가 완전히 정착을 하고 비도 몇 번 맞고 나니까 잎이 수평으로 서는 것이었다. 지금도 이놈은 뿌리나 줄기에 상처를 입으면 잎사귀를 축 늘어뜨린다. 보통 풀보다 훨씬 느리게 원상 회복되는 것으로 보아 상당히 연약한 풀이라고 볼 수 있지 않을까 하고 생각하기 쉽지만, 어떻게 보면 그렇지도 않다. 일년초인 이놈은 생존경쟁이 극심한 그 좁은 화단에서 어떻게든 뿌리를 내리고 한여름이 되면 여기저기 어김없이 얼굴을 내밀기 때문이지. 연약하면서 끈질긴 풀, 수까치깨는 그야말로 은근과 끈기의 우리나라 야생초이다.

돌콩
우리가 먹는 콩의 원조

우리 화단의 벽 쪽에는 벌써부터 돌콩이 우거지고 있었지만 꽃이 피기를 기다리느라고 이제야 지면에 옮기게 되었다. 지난번 편지에 여름철 덩굴 식물로 닭의덩굴이 좋다고 쓴 적이 있지만, 사실 나는 돌콩을 더 좋아한다. 먼저 보라빛 꽃이 귀엽고, 덩굴 뻗어 나가는 모습이 훨씬 기운차고 느낌이 시원스럽다. 또 벌레라곤 안 꼬이고, 게다가 연한 돌콩잎은 먹을 수도 있거든. '돌' 자가 붙은 대부분의 식물이 그렇듯이 돌콩은 지금 우리가 먹는 콩의 원조라고 할 수 있지. 이 야생콩을 가지고 육종을 거듭한 끝에 지금처럼 크고 맛있는 콩이 만들어진 것이란다. 작년에 화단에서 수확한 돌콩이 제법 한 종지는 되었는데, 정말 먹자니 꾀죄죄한 느낌이 들더라구. 그냥 가지고 있다가 화단에 뿌려 버리고 말았지. 그랬더니 올핸 담벼락 쪽으로 온통 돌콩이 난리야. 아마 옛날에 먹을 것이 없었을 적엔 돌콩도 삶아 먹었을 것이다. 심지어 강아지풀도 구황작물(救荒作物)이라고 해서 훑어 먹었다 하니……

154

이담에 내가 살 집의 마당은 아마도 야생초 전시관이 될 거다. 어디 갔다 올 때마다 하나씩은 파올 테니까. 그러자면 마당을 아주 넓게 잡아야 하겠지. 그렇게 십여 년 가꾸다 보면 아마 자식 놈은 꽃만 보고도 책 한 권 분량의 야생초 이름 정도는 줄줄 외워 댈 수 있을 거야. 그리고 집안엔 늘 야생초차 향기가 가득할 것이구. 거실 찻장에는 각종 야생초 잎을 말려 갈무리해 둔 것이 종류별로 나란히 진열되어 있을 것이고, 또 한쪽에는 야생초로 담근 건강술이 줄지어 있을 거야. 또 있다. 식사 때마다 식탁에는 계절에 따른 야생초 나물이 올라갈 거구. 어쩌면 야채 구하려고 장보러 갈 일조차도 없을 것이다.

　내가 징역 들어와 야생초에 심취하고 나서 변한 것이 한두 가지가 아니다. 본격적으로 야생초를 섭렵하기 시작한 것은 지병이었던 만성 기관지염을 고쳐보려고 한 데서였다. 양약을 먹다 먹다 지쳐서 풀을 뜯어 먹기 시작한 거다. 그러다 보니 자연히 민간요법이나 자연건강요법

등에 관심을 갖게 되었고, 그것을 이론적으로 뒷받침해 주는 동양 의학이나 철학을 연구하게 되었던 것이다. 결과적으로 나는 이 안에 들어와 담배, 술, 커피, 콜라, 사이다 등과 완전히 결별하게 되었다. 결별 정도가 아니라 지금은 그것을 먹으면 속이 영 거북하단다. 대신에 나는 늘 쑥이나 꿀풀 우린 물을 마신다. 아침에 일어나 요료법을 실시하고 차게 식힌 쑥차를 한 컵 들이키면 기분이 그렇게 상쾌할 수가 없다. 내 몸의 생기가 넘칠 듯 말 듯 간당간당한 게 늘 충전되어 있는 기분이다. 물론 이 안에서 규칙적인 생활을 하니까 이 정도의 건강을 유지하고 있겠지만, 내가 상복하고 있는 야생초차와 요료법이 큰 도움이 되었다고 생각한다. 이러한 생활의 연장으로서 나는 요즘 인간관계에 있어서 자연요법이란 무엇인가 하는 것을 생각하고 있다. 젊었던 시절에는 상대방과 대화할 적에 자기 의견을 먼저 말하고 싶어서 허겁지겁 하곤 하여 자주 대화의 맥을 끊었는데, 지금은 그렇지 않다. 어떤 호흡이랄까 리듬이랄까 하는 것을 대화 중에 잡아내어 그 흐름 속에서 얘기도 하고 듣기도 하고 그런다. 그렇게 하니 나도 편하고 상대방도 편해하는 것을 느낄 수가 있다. 말하자면 자연류(自然流)를 터득한다고나 할까? 해서 나이가 들면 저절로 자연과 가까워지고 싶어하는가 보다.

왕고들빼기
야생초의 왕

오늘 드디어 야생초의 왕을
소개한다. 이름하여 왕고들빼기. 이름에 '왕' 자가 붙어서가 아니
라 이 풀은 정말 야생초의 왕이라고 불러도 손색이 없다. 야생초
의 모든 조건을 탁월하게 갖추고 있는 데다 덩치 또한 크기 때문
이다. 먼저 크기를 보자. 비슷하게 생긴 고들빼기는 아무리 커야
40센티를 넘지 못하는 데 비해 이놈은 토질만 좋으면 2미터까지
큰다. 이 안에서는 토질도 안 좋은 데다 이 사람 저 사람 자꾸 만
지는 바람에 기껏 1미터 정도밖에 안 크지만 산자락이나 들판에
홀로 자라는 것들은 죽죽 잘 자란단다. 작년에 임하댐에 갔을 때
댐 언저리에 우뚝우뚝 서 있는 이놈들을 보니 참으로 반갑데. 어
찌나 잘 자랐는지 모두들 2미터 안팎이었다.

둘째로, 야생초는 그 모양이 야성적이라야 볼 맛이 난다. 와일
드한 맛이야 엉겅퀴나 방가지똥을 따를 것이 없지만, 이놈은 또
다른 야성미를 보여 준다. 여기 그려진 잎새를 잘 보아라. 이것은
실물크기 그대로 그린 것이다. 잎 가장자리가 죽죽 날카롭게 찢어

진 게 시원스럽지 않니? 신기한 것은 잎 모
양이 기본적으로는 대칭적이지만 한 그루에
달린 수십 장의 잎을 다 살펴보아도 제대
로 된 대칭꼴을 찾기는 정말 힘들다는 거
다. 그래도 여기 그린 것은 그중에 가장 대
칭꼴이고 얌전하게 생긴 놈을 고른
것이다. 대부분이 그야말로
미친년 찢어진 치마 모양으
로 제멋대로 생겨 먹었단다. 야성미
의 극치라 할 만하지.

  셋째로, 야생초는 번식
력이 좋아야 한다. 이
놈은 키가 큰 만큼 꽃도 엄청나
게 피우는 편이다. 꽃은 같은 국화과의
구절초나 쑥부쟁이보다는 못하지
만 같은 모양의 고들빼기
나 씀바귀보다는 훨씬 낫다. 이파리
의 와일드함에 비해 꽃은 아주 소박
하고 정밀한 느낌을 준다. 이놈
들이 수정을 끝내고 꽃이
다 말라 떨어진 뒤에 벌이는 낙하산 쇼는
정말 볼 만하다. 바람 부는 날이면 운
동장 한구석은 왕고들빼기씨를 물

고 있는 하얀 솜털들로 더부룩하니까.

봄이 되면 화단 여기저기서 고개를 내미는데 처음에는 그냥 고들빼기나 씀바귀와 구분이 잘 안 된다. 다만 뽑아 보면 이놈은 꼭 알타리무 같은 동그란 뿌리를 갖고 있거든. 이때는 잎이 아직 갈라지기 전이라 씀바귀와 혼동하기 쉽다. 바로 이 무렵에 뽑아 먹는 왕고들빼기가 가장 맛이 좋다. 동그런 뿌리하고 대여섯 장 달린 잎을 통째로 깨끗이 씻어 고추장에 비벼 먹으면 쌉싸름한 게 맛이 아주 상쾌하지. 아무튼 이놈의 발아력은 씀바귀나 고들빼기보단 못하지만 생명력은 대단히 끈질긴 놈이다. 한 가지 아쉬운 것은 생장 도중 흰가루잎병에 잘 걸리는 것이다.

내가 이 안에서 확인해 볼 수는 없었지만, 한 교도관의 말에 의하면 근자에 이 왕고들빼기가 사람들 사이에 정력에 좋다는 소문이 나돌고 나서는 그 값이 엄청나게 뛰고, 심지어는 재배하는 자까지 생겼다고 하는데 사실이냐? 옆방의 이 선생님은 이 말을 들으시고는 전에는 별로 관심이 없으시다가 올해 들어 틈만 나면 왕고들빼기 많이 해 먹자고 채근하시더라구. 나 참! 아무튼 이놈은 맛도 좋으니, 내년에는 씨 받아다 일부러 파종 한번 해 보아야겠다. 너도 짐작하듯이 이 안에서 내가 접할 수 있는 야생초는 아주 한정되어 있다. 이러한 상황에서 제멋대로 정한 야생초의 왕이니 만일 밖에 나간다면 또 달라질지도 모르겠다. 그러나 적어도 지금까지 내가 본 풀 중에 왕고들빼기만큼 야생초의 조건을 완벽하게 갖춘 풀은 별로 없었다. 끝으로 왕고들빼기의 잎은 '녹색'의 모든 것을 보여 주고 있다. 내가 반한 것은 어쩌면 이 현란한 녹색인지도 모르겠다.

마

우리 낭군 정력제

를 먹어 본 일이 있는지? 맛이 꼭 감자와 토란
의 중간쯤 되는 게 희한하다. 좀 끈적거려서 기
분이 이상하지만 먹고 나면 입맛이 아주
상큼하지. 우리나라 사람들은 그렇
게 즐기지 않는데 일본 사람들은 아
주 즐기는 모양이야. ≪약용식물
사전≫을 보면, "마는 한방에서 자
양강장제로 쇠약증에 사용하며, 또한 거담에 효과가 있다. 민간에
서도 유정(遺精), 야뇨(夜尿) 등의 증상에 1일 15그램 가량을 달여
마신다. 기타 생근(生根)을 강판에 갈아서 부스럼, 동상, 화상, 뜸
자리, 유종 등에 밀가루로 반죽하여 종이에 발라 붙인다."라고 쓰
여 있다. 만약 마가 정력제라는 소문이 퍼지면 이 땅에 신선초 붐
에 이어서 마 붐이 일지도 모르겠다. 그래서 그런가, 여기 그려져
있는 마도 정력과 무관한 것은 아니다. 어째서 그런지 한번 들어

160

볼래'? 이 팍팍한 교도소에 귀한 마가 살아남기까시는 참으로 눈물겨운 노력이 숨어 있단다.

　그러니까 얘기는 지금으로부터 5년 전으로 거슬러 올라간다. 그 무렵 이곳에는 스무 명 가까운 공안수가 살고 있었다. 그중에 김순일이라는 나보다 한 살 아래의 재일교포 청년이 있었다. 키는 크지만 몸이 호리호리하고 영 기운이 없게 생긴 아주 순진무구한 친구였지. 반면에 이 친구의 부인은 온화한 느낌을 주는 미인이지만 성격이 아주 야물딱지고 헌신적이었다. 물론 상대적이겠지만 음양으로 보아 아주 궁합이 잘 맞는 부부였다. 소극적인 남편과 적극적인 부인. 그래서 그런지 가족 좌담회 때 보면 부인이 별의별 것을 다 싸온단다. 비실비실한 우리 낭군 기운 내라고 그러는 것이겠지. 여기 있는 마가 바로 그때 순일 씨 부인이 일본에서 가져온 것이다. 그 무렵 어느 날이었다. 아침에 휴지통을 비우러 쓰레기통으로 갔더니 못 보던 신문지 뭉치가 버려져 있기에 이상한 생각이 들어 펼쳐 보지 않았겠니? 그 안에서 웬 고구마 뿌리 같은 게 나왔는데 여기저기 짓물러 터졌더라구. 나중에 알아보니 좌담회 때 먹고 남은 것을 몰래 들고 들어왔는

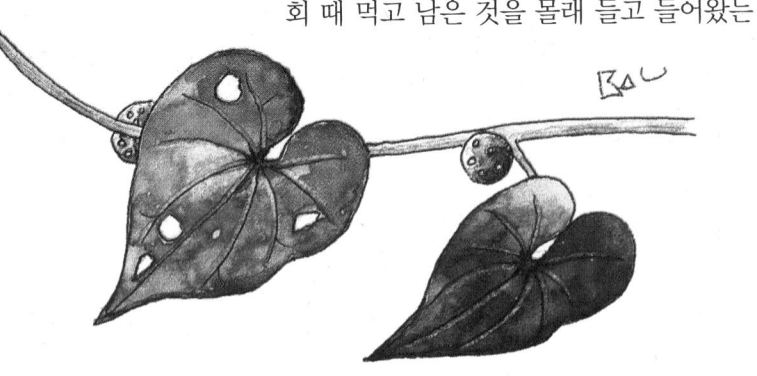

데(원래 가지고 들어오면 안 됨), 가지고 있다가 상해서 버렸다는 거야. 나는 그때 마라는 것을 처음 구경한 깃이야. 그런데 그 무렵 나는 원예부에 출역 중이었으므로 이것을 땅에 묻으면 혹시 살아 날지도 모른다는 생각이 들었다. 해서 그것을 원예부로 가지고 가서 썩은 부분은 다 도려내고 땅에 묻었지. 그러구선 한 한 달쯤 지났을까? 거기서 싹이 올라오더라구! 얼마나 신기하던지. 매일같이 물을 주고 또 가끔 비료도 뿌려 주면서 정성껏 키웠다. 덩굴이 잘도 올라가데! 그런데 덩굴은 한 2미터 남짓 뻗더니 더 이상 자라지 않데. 대신 잎겨드랑이마다 '주아'라고 하는 씨감자 같은 열매가 마디마디 달리는 것이 참 신기하더군. 마는 감자처럼 덩이뿌리의 씨눈을 잘라 심어도 싹이 나지만, 콩알 같은 이 주아를 떼어 심어도 싹이 난다. 그러니까 아래 그린 놈은 그때 이래로 해마다 떼어 낸 주아로부터 자라난 것이란다. 지금 일본에서 열심히 살고 있을 순일 씨는 자기가 먹다 버린 마가 안동교도소에서 아직도 생명을 이어가고 있다는 사실을 꿈에도 모를 것이다. 지금 자라고 있는 마는 올 봄에 새로 심은 것인데, 운동장의 토질이 워낙 박하여 겨우 몇십 센티 자라다 말았다. 한 여남은 포기 있지만 덩굴답게 뻗은 건 겨우 하나 정도이다. 주아만 떼어 내고 뿌리는 그대로 둘 거다. 내년엔 거름을 좀 써서 한번 제대로 키워 볼 작정이다.

마의 생약명이 산약(山藥)인 것으로 보아 한방에서도 아주 귀하게 여기는 약초인 것 같다. 마는 약효로 보나 영양가로 보나 아주 좋은 식품 같으니 너도 한번 입맛을 붙여 보는 게 어떠냐?

괭이밥
맛이 시큼털털

≪백척간두에 서서≫에 실린 글을 보면 예전에 내가 원예부에 있을 적에 기관지염을 고친다고 화분에 난 풀들을 마구 뜯어 먹었다는 구절이 나온다. 그때 많이 뜯어 먹은 풀이 바로 괭이밥이다. 온실 안에 있는 화분에 이 괭이밥이란 놈이 어찌나 잘 번식하는지 분갈이해 놓고 몇 개월 지나면 화분이 온통 괭이밥 투성이였다. 그도 그럴 것이 이놈의 번식 방법이 좀 특이하단다. 그림의 왼쪽에 있는 길쭉한 것이 씨방인데 이것이 다 익어 터지는 모습이 참 재밌다. 껍질이 말라서 어느 순간 탁! 하고 벌어지면 안에 있던 씨가 사방으로 타다닥 하고 튀어 나가는데, 마치 고대 전쟁 때 쓰던 투석기로 투석하는 것과 흡사하다. 씨앗이 튕겨나간 자리에는 씨앗을 쏘아 보낸 하얀 용수철 같은 것이 달랑달랑 붙어 있다. 어떤 때는 이 장면이 재미있어 다 익은 씨방을 일부러 건드려 터트리는 장난을 치기도 한다. 그러면 마치 축포 쏘듯이 타다닥 튀어 나가는 씨앗이 장관이지. 이렇게 씨앗이 멀리 튀니 이놈들이 이웃 화분으로 옮겨 가는 건 일도 아

니다. 한번 뿌리를 내리면 땅속줄기가 사방으로 뻗어 나가는데, 많이 뻗으면 직경 30~40센티 되는 땅이 이놈들로 빽빽해진다. 지상부는 겨우 3~4센티밖에 안 되는 것이 뿌리는 어찌나 깊이 박는지 파 보면 한 뼘이 넘는다. 이러니 괭이밥이 화분을 뒤덮으면 화분 속의 식물이 숨이나 제대로 쉬겠니?

괭이밥은 잎 색깔로 보아 두 종류가 있다. 하나는 연녹색이고, 또 하나는 아래의 것으로 붉은빛이 나는 것이다. 붉은빛이라 했지만 사실 이놈은 빨강에서 보라, 검푸른 초록에 이르기까지 정말 다양한 색의 스펙트럼을 보여 준다. 이파리 하나하나마다 도저히 한 색으로 표현할 수 없는 오묘한 빛깔의 중첩을 보여 주고 있다. 연녹색 괭이밥(선괭이밥이라 부른다)이 덩지가 훨씬 커서, 큰 것은 지상부가 20센티가 넘게 자란단다. 그러나 작은 고추가 맵다고 생명력은 이 작고 붉은빛 나는 놈이 훨씬 끈질기다. 하여간 원예부에 있을 때에 심심하면 화분에서 이놈을 뽑아내는 게 일이었다.

괭이밥에는 탄닌과 수산이 들어 있다더니 과연 먹어 보면 맛이 시큼털털하다. 이놈만 따로 무쳐 먹으면 맛이 별로이고, 닝닝한 다른 야생초에 섞어 먹으면 시큼한 맛을 낼 수 있지. 괭이밥의 약효는 참으로 광범위하다. 얼른 눈에 띄는 대로 적어 보면 이질, 간염, 황달, 인후염, 유선염, 대하증, 토혈, 옴, 백신, 버짐, 부스럼, 종기, 치질 등 끝이 없다. 한번은 괭이밥 생즙을 짓찧어 치질을 심하게 앓고 있는 동료에게 주면서 환부에 붙여 보라고 했더니 겨우 하루를 해 보고 귀찮다고 내버리더라구. 민간요법에 대한 불신이 워낙에 뿌리가 깊어서 실험해 보기가 어렵다. 매일같이 빵이라도 사 주면서 모르모토를 구해야 할 판이다. 나 자신은 물론 몸에 이상이 생기면 즉각즉각 다 실험해 보지.

쇠비름
가장 완벽한 야생 약초

내가 살고 있는 사동의 뒤에
는 재소자들의 담요를 널고 터는 길다란 뒤뜰이 있다. 이 뜰의 한
구석에 야생풀 몇 가지가 끊이지 않고 나는 자리가 있는데, 그곳
은 재소자들이 담요를 털러 나왔다가 쉬를 보는 자리이기도 하지.
바로 그 자리에 내가 안동에 온 이래로 지금까지, 그러니까 8년
동안이나 쉬지 않고 피고 지는 풀이 하나 있다. 여기 그린 쇠비름
이 그것이다. 해마다 나에게 그렇게 뜯어 먹히고도 다음에는 더
많은 자손을 퍼뜨리는 쇠비름! 이 쇠비름이 이번에 끔찍한 재앙을
당했다. 지난달에 새로 부임한 보안과장이 얼마나 깔끔한 사람인
지 아니면 밑에 있는 사람이 과장에게 완벽한 청소 상태를 보이려
고 했는지, 어쨌거나 우리 뒤뜰을 완벽하게 밀어 버린 것이다. 마
치 빡빡머리 밀듯이. 그래도 지금까지는 청소를 하더라도 담벼락
가까이 붙어 난 쇠비름 정도는 남겨 놓았었는데, 이번에는 정말
한 포기도 남기지 않고 쓸어버린 거야. 정말이지, 안동교도소 청
소부는 야생초에게뿐만 아니라 내게도 천적과 같은 존재이다. 도

대체가 풀이 좀 자라서 뜯어 먹을 만하면 어느 샌가 와서 엎어 버리니! 여기 그린 쇠비름은 그 초토 속에서 새롭게 피어난 놈이다. 아마도 그 자리엔 아무리 뽑아내도 다음 차례를 기다리고 있는 쇠비름씨가 켜켜로 묻혀 있는 모양이다.

  북한의 사대 명산이라 하면 보통 백두산, 묘향산, 금강산, 구월산을 꼽지. 북한 사람들은 이를 두고 '인민의 산'이라고 부른다. 인민들에게 휴식과 위안을 주는 산이라는 뜻이지. 이와 마찬가지 의미로 이 나라의 가장 민중적인 야생초 네 가지를 꼽으라 하면, 나는 서슴없이 쇠비름, 참비름, 질경이, 명아주를 들겠다. 이 땅에 가장 흔할 뿐 아니라 모두가 식용으로, 또 민간 약재로 광범위하게 쓰이기 때문이다.

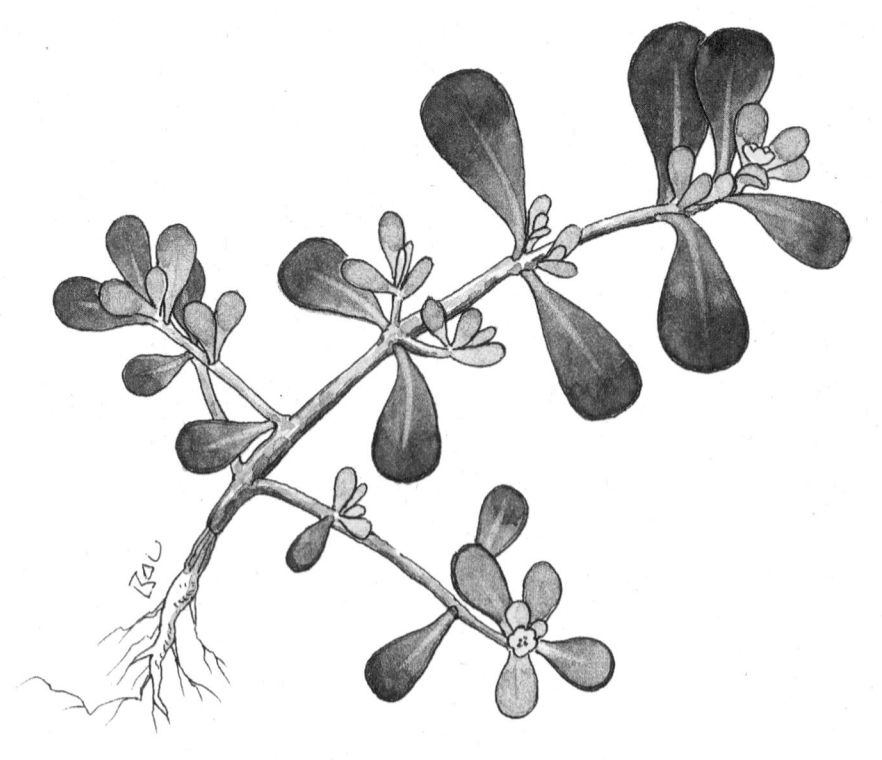

쇠비름의 생약명은 마치현(馬齒莧, 말의 이빨처럼 생겼다 하여)이라 한다. 또 쇠비름을 오래 먹으면 장수한다 하여 장명채(長命菜)라고도 한다. 이 밖에도 쇠비름은 여러 가지 이름을 가지고 있지만 내가 가장 그럴듯하게 여기는 이름은 오행초(五行草)라는 것이다. 이 오행초에 대한 설명을 들으면 쇠비름이야말로 가장 완벽한 야생 약초라는 생각이 들 것이다. 여기서 '오행'이란 음양오행설의 오행을 말한다. 음양오행설은 쉽게 말하면, 천지 음양의 조화에 따라 자연계에는 오행의 특성이 나타난다는 이론이지. 인간을 포함한 모든 생명체와 이 우주 전체의 작동원리를 음양오행에 의해서 설명할 수 있다는 것이야.

음양오행론이 쇠비름에 어떻게 적용되는지 한번 보자. 여기 교도소 담벼락 밑에 쇠비름이 한 포기 자라고 있다. 비 한 방울 없이도 척박한 땅에서 무럭무럭 자라나는 비결이 무엇일까? 바로 천지의 기운이다. 한 뼘도 안 되는 풀이지만 쇠비름은 전신으로 천기(天氣, 양)와 지기(地氣, 음)를 빨아들여 자신을 만든다. 이렇게 빨아들인 음기와 양기는 조화를 이루어 다섯 가지 형태로 나타난다. 먼저, 생기(生氣)는 푸른색으로써 잎으로 나타나고, 사방으로 뻗어 나가는 성장하는 기운은 빨간 줄기로 나타나며, 또 다른 쇠비름으로 변화하기 위하여 노란 꽃으로 나타나며, 땅 속의 필요한 모든 양분을 수렴하기 위해 하얀 뿌리로 나타나는가 하면, 마지막으로 쇠비름의 모든 것이 함재되어 있는 검은 씨로 나타난다. 또 각 부위를 우리 몸의 오장육부와 연결 지으면, 잎은 간에 좋고, 줄기는 심장에 좋고, 뿌리는 폐에 좋고…… 하는 식으로 한없이

대응시킬 수 있다. 이를 알아보기 쉽게 도표로 나타내면 다음과
같다.

잎	靑(청)	生(생)	肝(간)	膽(담)
줄기	赤(적)	長(장)	心(심)	小腸(소장)
꽃	黃(황)	化(화)	脾(비)	胃(위)
뿌리	白(백)	收(수)	肺(폐)	大腸(대장)
씨	墨(묵)	藏(장)	腎(신)	膀胱(방광)

　어찌 쇠비름에게만 이렇듯 음양오행론이 적용되겠니? 다만 쇠
비름이 가장 뚜렷하게 오행의 특성을 보여 주고 있기에 오행초(五
行草)란 이름이 붙었겠지. 쇠비름은 과연 오행초란 이름마따나 그
약효도 대단히 넓다. 모든 종류의 종창이나 부스럼, 임질, 이질,
중풍, 고환염, 요도증, 옻, 독충에 쏘였을 때, 해열, 기생충 구제
등에 쓰인다고 한다.
　나물로서의 쇠비름은 사람에 따라 반응이 다르지만, 쫄깃쫄깃
한 게 대체로 먹을 만하다. 다만 먹을 때 좀 끈적거리는 느낌이 드
는 게 걸리기는 한다. 책에 보면 여름에 한창 많이 날 때 뜯어서
끓는 물에 데쳐 말려 두었다가 겨울철에 묵나물로 해 먹으면 맛있
다고 하는데, 아직 여기서는 수량이 그렇게 되질 않아 해 보질 못
했다. 올해는 시험적으로 한 줌 정도 말려 두었다가 먹어 보고 정
말 맛이 좋으면 내년엔 아예 재배할 수도 있다.

중대가리풀

교도소를 대표하는 풀

사람의 신체기관은 참으로 신
기하다. 점심을 12시에 한 그릇 가득 먹고 4시간 뒤에 또 저녁 식
사를 해도 한 그릇 입빠이(일본말 미안!) 다 들어가니. 그것도 그
사이에 아무 짓도 아니 하고 마룻바닥에 앉아 책만 들고 앉아 있
는데 말이다. 오랫동안의 규칙적인 식사습관으로 말미암아 생체
시계가 완전히 고정된 모양이다. 4시에 밥을 먹고 다음날 8시까
지 아무것도 안 먹어도 아무렇지도 않은 걸 보니. 이것을 보면 인
간은 습관 붙이기에 따라 하루 두 끼니만 먹어도 괜찮을 듯싶다.
태국의 잠룽이라는 분이 이렇게 소식을 한다지? 하지만 이 안에
서 그런 소식을 하였다간 곧바로 보안과로 '단식 보고'가 들어가
문제수로 찍히고 만단다. 밖에 있을 적에 결코 대식가가 아니었는
데 여기에 와서 주는 밥을 꼬박꼬박 먹다 보니 위장이 좀 늘어난
것 같다. 언제부터인가 저녁때 밥을 먹고 나면 뒤가 허전해서 꼭
디저트를 한다. 디저트를 아니 하면 밥을 덜 먹은 것 같고, 또 실
제로 다음 끼니까지 배가 고파서 견디기가 어렵거든. 요즘 자주

먹는 디저트는 '우유 석신 카스테라'. 이것이 뭔고 하니, 200원짜리 구매 카스테라를 그릇에 놓고 그 위로 팩 우유를 조심스럽게 쏟아 붓는 거야. 그러면 카스테라가 우유를 거의 다 흡수하지. 그것을 숟갈로 천천히 떠먹는 거다. 마치 식후에 서양 사람들이 '파이'를 먹듯이. 밥 한 그릇 잔뜩 먹고 이걸 다 먹으면 배가 동산만 해지는 게 손으로 두드리기 똑 알맞게 된다. 그런데 실은 저녁이나 이렇게 일부러 빵빵하니 먹지 아침, 점심은 안 그런다. 밤이 길 거든.

  오늘 그린 풀은 중대가리풀이란 것이다. 별로 좋아하는 풀은 아닌데, 우리 교도소의 습기진 곳에서는 어김없이 돋아나는 끈질긴 풀이라 교도소를 대표하는 풀 중의 하나라고 생각되어 한 번 그려 보았다. 잎이 모양없이 각져 있고 꽃이랄 것도 없는 둥그런 것이 몇 마디 건너 하나씩 피었다가 그대로 노랗게 익어 터져 버리는 그렇고 그런 풀이다. 먹지는 못하고 약재로는 쓰는 모양이다. 먹지 못한다는 것은 책에 그렇게 분류되어 있을 뿐 내가 직접 실험해 보진

않았다. 좀 먹음직스럽게 생겼으면 책에 그렇게 쓰여 있더라도 실험해 보았을 텐데, 들여다보면 전혀 먹고 싶은 생각이 아니 드는 풀이다. 중대가리란 풀이름은 아마 노랗게 익은 동그란 꽃 모양이 꼭 스님의 머릴 닮아 그렇게 붙인 모양이다.

비름
나의 주식

드디어 비름.

내가 우리나라 사대 자생 야생초로 꼽았던 비름이 오늘의 주인 공이다. 왜 '드디어'란 부사어를 앞에 붙였는고 하면 비름은 나의 주식이다시피 하기 때문이다. 비름은 봄부터 늦은여름까지 내내 쉽게 채취할 수 있으면서도 그 맛이 담백하고 뒤끝이 깨끗하여 언제 먹어도 좋다. ≪본초(本草)≫에 보면 "비름은 성질이 차고 맛도 달며 독은 없다."라고 쓰여 있는데, 먹어 보면 이 말이 꼭 맞음을 알 수 있다. 맛은 꼭 시금치 비슷하지만 시금치와는 달리 담백하고 찬 느낌이 든다.

이놈은 어찌나 잘 자라는지, 어떨 때는 따 먹기도 바쁠 정도란다. 비름을 오래도록 따 먹으려면 어린것을 뽑아 버리면 안 된다. 물론 비름이 지천으로 널린 데라면 어린것을 따 먹는 게 훨씬 부드럽고 좋겠지만, 그렇지 못하다면 비름이 한 30센티 될 때까지 놔둔다. 어느 정도 크면 생장점 근처의 여린 놈들을 모조리 따 먹

는다. 그러고 한 일주일 뒤에 와 보면 전에 보다 대여섯 배나 많은 비름눈이 사방으로 나 있는 것을 보게 된다. 이놈들도 물론 여릿 여릿하지. 이런 식으로 두세 차례 더 따 먹을 수 있다. 이렇게 되면 뒤로 갈수록 따는 수량이 점점 많아지게 된다. 물론 비름만 이런 게 아니다. 모든 야생초를 섭취할 적에 이런 식으로 하면 두고 두고 오래 따 먹을 수가 있다. 오늘 그린 비름은 잎 색깔도 그렇고 잎들이 축 처진 게 별로 생동감이 느껴지질 않을 것이다. 그도 그럴 것이 이곳이 요즘 너무 가물어서 이토록 질긴 야생풀도 맥을 못 추고 있다. 이놈은 그래도 그중 싱싱한 것을 골라 그린 것이다. 비름은 식용으로뿐 아니라 약용으로도 버릴 것이 하나도 없이 골고루 쓰인다. 먼저 비름 달인 물은 이질과 안질을 다스리고, 뱀, 벌레 등에 물린 상처는 잎을 짓찧어 환부에 붙이며, 음부가 냉한 데는 뿌리를 짓찧어 붙인다 한다. 또한 비름씨에는 이뇨, 지사, 통경 등에 효능이 있다 한다.

나는 아무리 생각해도 왜 사람들이 비름 같은 팔방미인을 제쳐 놓고 배추 따위를 중히 여기는지 이해할 수가 없다. 그것들은 단지 여러 가지로 요리해서 먹기만 할 뿐 비름과 같은 다양한 약효가 있기나 한가? 우리가 즐겨 먹는 대부분의 야채가 그렇다. 그것들은 오랜 세월에 걸쳐 사람에 의해서 인위적으로 재배되는 동안 자연에 대한 적응력이 상당히 저하돼 버렸고, 또 그렇기 때문에 천지 기운을 흡수 소화할 수 있는 능력도 떨어지게 되고 말았다. 그것들은 인간의 입맛에 맞게 인공적으로 길들여진

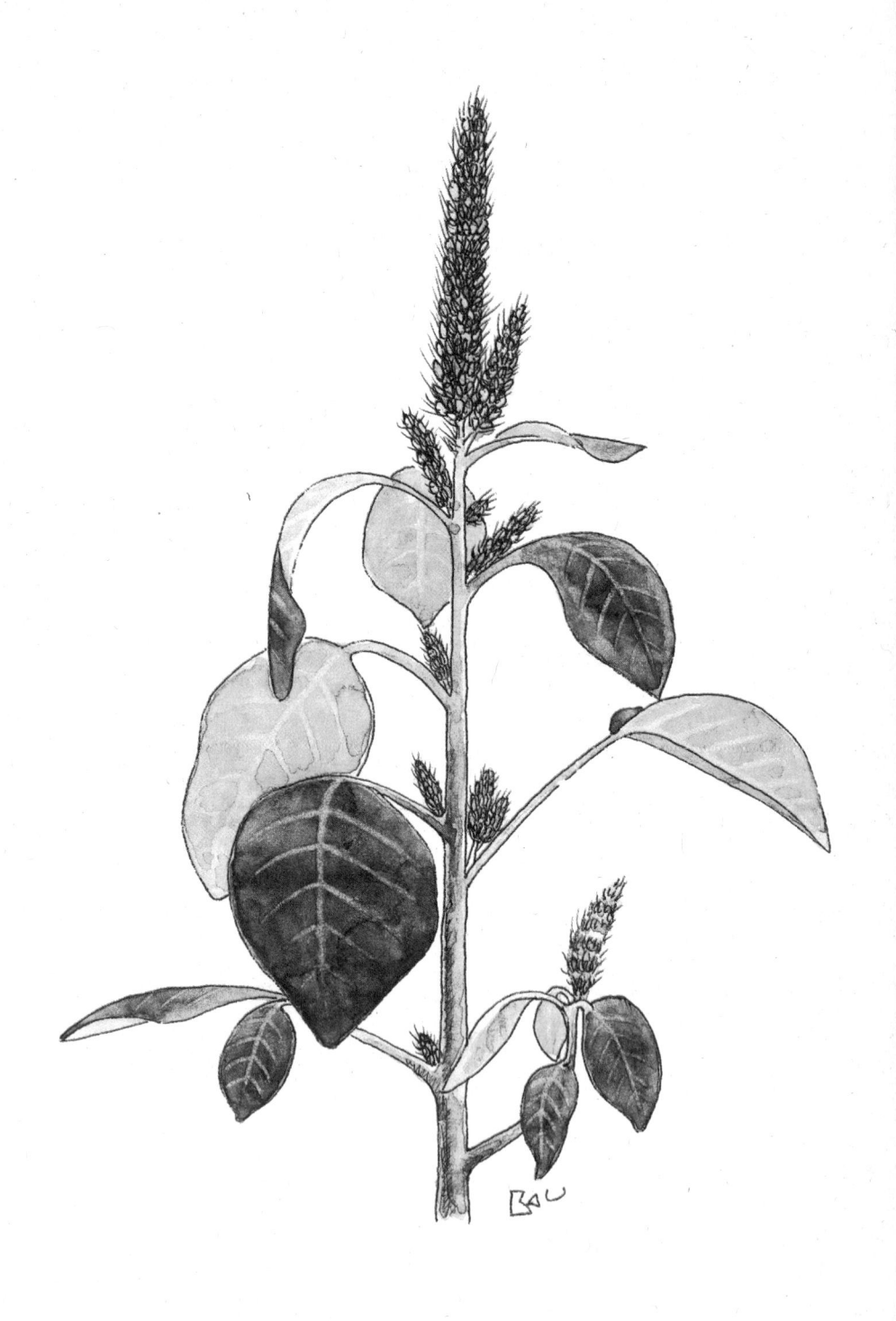

175

식물들이다. 우리가 식탁 위의 자연주의를 부르짖는 것은 무슨 색다른 맛을 추구하고자 하는 것이 아니다. 지나친 인공적 조작에 의해 잃어버린 자연 그대로의 입맛을 되찾자는 것이다. 그렇게 함으로써 자연과의 합일에 한 걸음 더 나아가자는 것이지.

기존의 야채에 길들여진 사람들은 야생초의 풀 냄새가 역겹게 느껴질 수도 있다. 싱싱하게 무쳐 낸 야생초의 냄새를 맡아 보고는 어쩌면 야만의 시대를 떠올릴지도 모르겠다. 아마 그럴 거다. 우리의 먼 조상들은 그런 풀들을 뜯어 먹고 살았다. 문명이란 그 풀 냄새를 점차로 지워 없앤 역사라고 할 수 있다. 야채가 그것이지. 야생의 풀 냄새를 제거하고 인간의 미각—작위(作爲)로서의 문명의 변천에 따라 함께 변해 온—에 맞추어 특정한 맛만을 선택하여 육종, 발전시킨 것이 오늘의 야채이다. 우리 인간은 자신의 얄팍한 입맛을 위하여 원래의 야채가 가지고 있던 여러 가지 영양소와 맛을 제거해 버리고 특정의 맛과 영양소만을 취하게 된 것이다. 그래 놓고 요리할 땐 그 위에 갖은 양념을 다 뿌리고 또 영양을 보충한다고 각종 비타민제를 따로 먹고 있다. 우습지 않니? 이것이 문명이다. 요소를 분리해서 자기가 필요한 것만 골라 먹겠다는 것인데, 어떻게 보면 대단히 합리적으로 보이지만 실은 하나는 알고 둘은 모르는 격이다. 이 세상은 단순히 요소의 합이 아니거든. 각 요소들은 전체 속에 있을 때에라야 비로소 제 가치를 온전히 지닐 수 있는 것이다. 전체와 분리된 요소는 제한적인 가치를 지닐 수밖에 없다. 채소는 채소를 둘러싼 생태계와 온전히

결합되어 있어야 하고, 그 채소를 먹을 때에도 요소로 나누어서는 안 된다. 그렇기 때문에 자연식주의자들은 되도록 전체식(全體食)을 권장하는 것이다. 머리부터 뿌리까지 전체를 통째로 먹어야 한다는 것이지.

야채와 달리 야생초는 자연상태에서 섭취한 영양소와 천지 기운을 고스란히 간직하고 있다. 때문에 야생초를 먹게 되면 따로 영양제나 비타민제 따위를 먹을 필요가 없다. 어디 영양소뿐인가? 야생초에는 제대로 밝혀지지 않은 온갖 약효가 들어 있어서 먹으면 자기도 모르게 건강해진단다. 야생초를 먹기 위해서는 먼저 자기 자신을 정화할 필요가 있다. 코카콜라 따위에 찌들은 입맛으로는 결코 야생초와 친해질 수가 없다. 요즘 나라 여기저기에서 자연환경을 되살리자는 소리가 드높은데, 어째 우리 본래의 입맛을 되살리자는 소리는 안 들리는지?

명아주

어릴 적 동네 할아버지가
짚고 다니던 지팡이

다음은 우리나라의 4대 한해
살이 야생초로 꼽은 명아주다. 명아주는 내가 비름 다음으로 자주
먹는 풀이다. 명아주의 선단부에는 흰 가루 같은 것이 많이 묻어
있는데, 책마다 이것을 털고 먹으라고 충고를 하고 있지만, 그 정
체가 무엇인지에 대해 밝혀 놓은 책은 하나도 없구나. 특별히 털
지 않아도 물로 헹구는 과정에서 다 씻겨 나간다. 명아주를 끓는
물에 넣으면 시금치 삶는 냄새가 난다. 맛도 시금치나 비름과 비
슷하다. 맛이 순하다 보니 반찬이 시원찮게 나오면 명아주를 많이
먹게 된다. 성분이 완전히 밝혀지지 않은 대부분의 야생초가 그렇
듯이 명아주도 장기간 다량 먹게 되면 몸이 붓는 등의 부작용이
생긴다고 한다. 나는 이런 일을 방지하기 위해 늘 몇 가지 야생초
를 섞어서 먹는다.

명아주도 약초로서는 팔방미인에 속한다. 그런데 너무 흔
해서 잘 쓰지 않는 것 같다. 나는 여기서 벌레 물린 자리에 이파리

를 짓찧어 붙여 본 일이 있는데, 금방 가려움증이 사라지고 아무는 것을 보았다. 민속 식물로서의 명아주를 얘기할 때 빼놓을 수 없는 것이 지팡이다. 청려장(靑藜杖)이라고 불리는 명아주 지팡이는 짚고 다니면 신경통과 중풍에 효험이 있다고 하니 노인성 질환에 시달리는 노인들의 아주 좋은 반려자이다. 치병 효과는 차치하고라도 명아주 지팡이는 재질이 단단하고 가벼워서 근력이 약한 노인들에겐 안성맞춤이지. 게다가 표면이 도사 지팡이처럼 울퉁불퉁하고 아름다워 환갑날 효도 선물로 아주 적격이다.

나는 어렸을 때 동네 할아버지가 짚고 다니던 지팡이가 명아줏대라는 소릴 듣고 믿질 않았었다. 명아주라는 이름의 다른 식물이려니 했다. 왜냐하면 그때까지 내가 본 명아주라곤 동네 공터에 멋대로 자라난 자그마한 풀에 지나지 않았으니까.

그러다가 몇 해 전 이곳 안동에서 하회마을로 사회참관을 나갔다가 서애 유성룡 선생의 유물관에서 커다란 명아주 지팡이를 목격하고, 또 그 길로 후미진 밭고랑 언저리에서 내 키를 훨씬 넘게 자라난 명아주를 보고 이 모든 사실을 믿게 되었단다. 옥담 안의 박토에서 겨우 한 뼘 크기로 자라난 명아주만을 따 먹다가 그렇게 무식하게 큰 놈을 맞닥뜨리니, 뭐랄까, 경외심 같은 게 드는 거 있지? 그것은 마치 심산 유곡을 헤매다 거대한 괴수(怪樹)를 맞닥뜨린 것 같은 기분이었다. 기록에 의하면 토질과 기후 조건만 잘 맞으면 2미터가 넘게 자란다고 하니, 어쩌면 야생초의 왕이라는 타이틀을 명아주가 차지해야 할지도 모르겠다.

그런데 어째서 이런 놀라운 사실을 뒤늦게 알게 되었는가를 생각해 보니, 명아주는 어디에서고 발아는 잘 되나 기름진 흙을 좋아하기 때문에 우리가 길거리 공터에서 흔히 보는 것은 '난쟁이' 명아주일 수밖에 없는 것이지. 그 이후로 나는 명아주의 생육에 관심을 가지고 지켜보게 되었는데, 이놈의 성장과정은 식물학의 교과서와 같다는 사실을 알게 되었다. 먼저, 어렸을 적엔 도톰하고 넓은 잎을 많이 내어서 길이 성장을 위한 토대를 마련한다. 우리가 나물로 따 먹는 시기는 이때이지. 이파리가 어느 정도 무성해지면 무척 빠른 속도로 길이 성장을 한다. 이때부터 선단부와 가지 겨드랑이에 조알을 뭉쳐놓은 것 같은 황록색 꽃을 촘촘히 피우는데 그 무게가 상당히 나간다. 이 무거운 꽃을 받쳐 주기 위해 이번에는 부피 성장을 한다. 즉 줄기가 굵어지는 것이지. 동시에

180

되도록 많은 꽃을 피우기 위해 수많은 가지를 내고 그에 따라 이 파리는 점점 작아진단다. 가을이 되어 수정을 다 마친 꽃을 달고 있는 명아주는 늠름한 작은 나무(수형으로 보면 낙우송을 닮은)의 모습을 하게 된다. 이것을 뽑아내어(자르면 안 된다. 울퉁불퉁한 뿌리를 살려 써야 하니까) 잔가지들을 다 쳐 내면 훌륭한 명아주 지팡이가 되는 것이지. 이담에 내가 나가면 내 손으로 꼭 멋진 청려장을 만들어 부모님께 선물해 드리리라 다짐해 본다.

박주가리 덩굴

꼬독꼬독, 말랑말랑한 하얀 솜뭉치의 맛

이 박주가리 덩굴을 잘 보아라. 가만히 들여다보면 내가 그동안 이놈과 나누었던 대화들이 떠오를지도 모르겠다. 지금쯤 산야에 난 박주가리 덩굴은 벌써 씨를 날리고 단풍까지 들었을 거다. 여기에 그린 놈은 사동 뒤뜰에 씨가 떨어져 최근에 새로 난 것이라, 아직 새파랗다. 세 포기가 났다. 그중 두 포기는 마주 붙어 났는데, 얼마나 정이 도타운지 한치의 틈도 없이 뒤얽혀 뻗어 나가는 게 샘이 날 지경이다.

박주가리 덩굴은 아주 강인한 식물이다. 줄기와 잎도 질겨서 잘 끊어지지 않지만, 속에는 하얀 액즙이 가득 차 있어서 그것이 어떠한 가뭄에도 쉬 시들지 않게 만드는 것 같다. 실제로 여러 가지 덩굴들을 꺾어서 공기 중에 내놓으면 가장 늦게까지 싱싱하게 남아 있는 것이 박주가리 덩굴이다. 이놈은 한번 심어 놓으면 땅속줄기로 해서 사방으로 퍼져 나가는데, 봄이 되어 여기저기 두터운 땅거죽을 뚫고 비죽비죽 머리를 내미는 박주가리 싹은 참으로 장하다. 내가 이 안에서 땅속줄기로 뻗어 나가는 식물들을 여럿 키

182

워 봤는데(머위, 식잠풀, 조뱅이, 메꽃, 고구마 등) 그 씩이 박주가
리만큼 기운차게 땅을 차고 나오는 놈은 보질 못했다. 그래서 그
런지 성장속도도 빨라 하룻밤 새에 십여 센티미터씩 자란다. 박주
가리는 줄기나 잎이 모두 매끈한
데 꽃만은 희한하게도 털북숭이
다. 다섯 갈래로 난 보라색 꽃이 원
뿔 차례로 돌려나는 게 그다지 밉
상은 아니다. 박주가리 덩굴의 열매
는 어렸을 때 많이 따 먹었지. 기다란
물방울 모양의 열매를 채 익기도 전에
따서 까 보면 속에서 꼬독꼬독하고
말랑말랑한 하얀 솜뭉치 같은
것이 나온다. 이것을 꺼내

먹는데, 맛이 뭐랄까, 약간 달짝
지근하면서도 무덤덤한 게 결코
맛있다고는 할 수 없는 그런 것이었
다. 그런데도 이것을 보기만
하면 따서 입에 까 넣었던
것은 씹을 때의 상큼한
촉감 때문이 아니었던
가 싶다. 우리가 먹었
던 이 하얀 솜뭉치 같

은 부분은 열매가 익어감에 따라 물기가 빠지고 가늘게 쪼개지면서 씨앗머리에 붙는 낙하산으로 변한다.

　나는 올해 화단에서 이 좋은 박주가리 덩굴을 몰아내 버렸다. 진딧물 땜에 견딜 수가 있어야지. 봄에 새싹이 나오는 대로 다 뽑아 버렸단다. 아니 사실은 한 촉만 남겨 두었는데 그만 진딧물의 집중 공략을 견디지 못하고 죽고 말았다. 아마도 박주가리의 흰 즙이 진딧물에게는 최고의 보약인 모양이다. 하여간 진딧물이 어찌나 잘 붙는지, 그것도 온갖 종류가, 다 덩굴이 안 보일 정도였다. 덕분에 진딧물의 생태에도 관심을 갖게 되었는데, 나의 관찰이 틀림없다면 이놈들은 벌이나 개미들처럼 집단적인 규율 생활을 하고 있다는 것이다. 수십 마리의 진딧물들이 리더의 신호에 맞추어 규칙적으로 즙액을 빨아 먹고, 또 동작을 하는 거야. 아직 확실한 결론을 내리지는 못했는데, 내년에 박주가리 덩굴이 새로 올라오면 돋보기를 들고 본격적으로 관찰해 볼 작정이다.

1994.10.25

국화 없는 가을은 없다

아마도 국화가 없다면 가을도 없다라고 말해야 옳을 것이다. 정말이지 국화가 빠진 이 땅의 가을 풍경은 삭막 그 자체일 거다.

그 옛날 학교 다닐 적에 가을소풍을 가다 보면 무수하게 마주치는 국화 닮은 꽃들이 있었다. 그 꽃들 이름을 알고파서 밭에서 일하고 나오시는 아저씨를 붙들고 물어보면 그냥 내던지듯이,

"응, 들국화여."

"아저씨, 이것은 꽃이 보랏빛이고 저것은 꽃이 조그맣고 노란데요?"

"들국화랑게 그리여!"

고개를 갸웃거리며 그냥 지나갈밖에.

나중에 꽃 공부를 하면서 그 아저씨 말이 맞았음을 알게 되었지만 그때는 웬놈의 들국화가 그리 많은지 도통 이해할 수 없었다.

그렇다. 가을 이맘때 산과 들에 피는 야생 국화 종류는

모두 들국화라고 부른다. 그렇다고 국화과에 속하는 산쑥, 고들빼기, 도깨비바늘 따위도 들국화라 부르진 않는다. 어디까지나 국화 비슷한 것들 즉 산국, 감국, 해국, 쑥부쟁이, 개미취, 구절초……, 이런 것들을 모두 뭉뚱그려 들국화라고 부르는 거지.

이 중에서도 고아하고 상큼한 가을의 정취를 가장 멋들어지게 자아내는 것은 구절초가 아닌가 생각한다. 구절초는 꽃도 꽃이지만 약용으로 더 중히 여겨졌던 모양이다. 주로 통경 효과 등의 여성 약으로 쓰였는데 매년 음력 9월 9일에 꺾어다가 약으로 쓴다고 하여 구절초란 이름이 붙었다 한다. 만약 구절초가 이곳에 있다면 틀림없이 이 자리에 모셨을 것이지만, 유감스럽게도 여기엔 없다.

작년까지만 해도 사동 바로 앞에서 내려다보이는 2층 건물 옥상 위에 기적처럼 피어난 구절초를 이태 연속 볼 수 있었는데, 왜 옥상 같은 데 청소하다 보면 먼지와 쓰레기를 한데 쓸어 모아 둔 둔덕 같은 게 있잖아? 거기에 어디선가 구절초 씨가 하나 날아와 싹을 틔운 거야. 가을이 되어 환한 연보라빛 꽃을 다발로 피워 냈을 때 얼마나 기뻤는지 모른다. 그 무렵엔 매일같이 그 옥상을 내려다보며 구절초의 안전을 확인하고 하루 일과를 정리하곤 하였지. 마치 오 헨리의 '마지막 잎새'처럼 삭막한 시멘트 천지에 홀로 피어난 그 꽃이 언제까지고 피어 있었으면 하는 마음 간절했단다. 그러던 것이 올 봄 무슨 정기 감사라나 뭐라나 하면서 대청소할 때에 그만 비명횡사하고 만 것이야. 아침에 밥을 먹고 무심결에 옥상을 내려다보니, 어렵쇼? 구절초 있던 자리가 먼지 하나 없

이 깨끗한 기야!

"하느님, 저 잘나 빠진 인간들의 결벽증을 어떻게 좀 해 주십시오!"

다행히 지금 이 안에는 몇 년 전 사회참관 나갔다가 캐다 심은 산국이 씩씩하게 자라고 있다. 여기 그린 것이 그 일부이지. 사실 이 산국은 심기는 내가 심었지만 기르기는 우리 이 선생님이 기른 것이다. 첫해엔 뭔 꽃인지 잘 몰라서 자라는 대로 그냥 내버려 두었지. 그랬더니 길이로만 마구 뻗더니 2미터가 넘게 자라더라구.

처음엔 이 선생님이나 나나 이것이 쑥 종류인 줄 알았다. 그랬는데 가을이 되자 탐스런 국화꽃을 피우는 것을 보고 산국인 줄 알게 되었다. 그래서 다음 해부터는 봄부터 촉치기를 해 주었지. 이 선생님께서 거의 붙어 있다시피 하면서 촉을 쳐 주고 가지를 잡아 주고 하였더니 과연 올해는 멋들어진 작품이 되었다. 직경 1미터에 달하는 커다란 구형에 산국꽃이 빽빽이 들어

박힌 '산국의 태양'이 만들어진 거야. 자연 상태로 내버려 두었으면 기럭지로만 자라서 죄다 쓰러졌을 것이다.

산국은 우리가 화분에 심어 놓고 보는 노랑국화의 원형이라 볼수 있다. 이 쬐그만 꽃이 오랜 세월에 걸쳐 형질 변화를 거듭하여 지금 우리가 보는 크고 탐스런 노랑국화가 된 것이다.
산국의 꽃 크기는 직경 2센티도 되지 않지만 향내만큼은 타의 추종을 불허한다. 관상용 국화보다 한 열 배는 진할 거다. 이놈을 한 다발 꺾어 콜라 병에 담아 방안에 놓고 가만히 앉아 있으면 향내에 취해 어질어질하다. 향내가 독해서인지 국화차를 달여도 노랑국화보다 맛이 훨씬 독하고 쓰다. 역시 사람이 재배한 것보다 자연산이 더 알짜배기인 모양이다. 사람이 노랑국화에서 원했던 것은 탐스런 꽃 모양이었지 향내와 맛은 아니었거든. 작년엔 미처 다른 야생초차를 갈무리해 두질 못해 겨울 내내 국화차만을 달여 마셨지만, 올해는 봄부터 제법 부산을 떤 덕분에 그때그때 기분에 따라 차를 골라서 달여 먹을 수 있을 것 같다. 내 방안은 그렇지 않아도 책더미 때문에 비좁은데, 갖가지 풀 말려 둔 것들로 인해 더욱 복잡하다.

그나저나 국화차는 참말로 몸에 좋다. 내가 지난 겨울 감기 한번 앓지 않고 건강하게 지낼 수 있었던 것도 다 국화차 덕분이라고 생각한다. 옛날에 중국의 팽조라는 사람은 국화차를 먹고 1700세를 살았다는데, 얼굴빛은 17~18세와 같았다고 한다. 이

런 신선 얘기가 아니더라도 ≪본초강목(本草綱目)≫에 의하면 국화를 오래 복용하면 혈기에 좋고 몸을 가볍게 하며 쉬 늙지 않는다고 한다. 또 위장을 평안케 하고 오장을 돋우며 사지를 고르게 한다고 한다. 그 밖에도 감기, 두통, 현기증에 유효하다고 기록되어 있다.

어때? 너도 이 가을이 가기 전에 바람도 쐴 겸 아차산 자락에라도 놀러가서 산국이나 감국을 잔뜩 따다가 그늘에다 말려서는 겨울 내내 차나 달여 먹지 않겠니? 집에 찾아온 손님에게 대접하면 더욱 좋겠고.

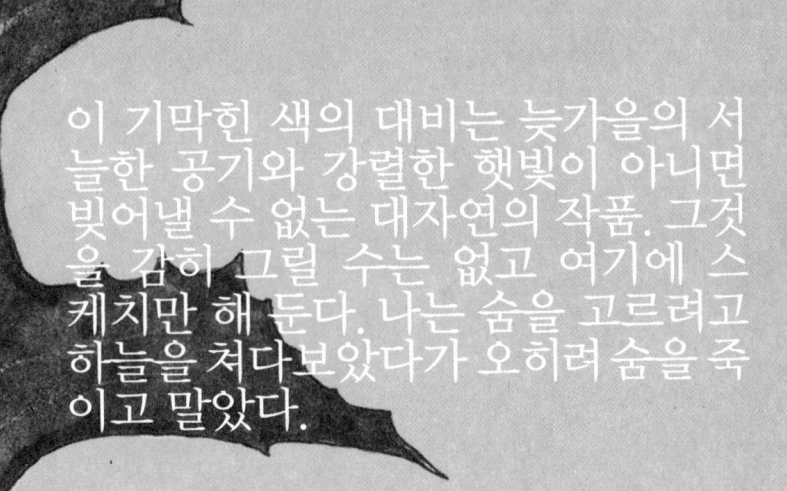

이 기막힌 색의 대비는 늦가을의 서늘한 공기와 강렬한 햇빛이 아니면 빚어낼 수 없는 대자연의 작품. 그것을 감히 그릴 수는 없고 여기에 스케치만 해 둔다. 나는 숨을 고르려고 하늘을 쳐다보았다가 오히려 숨을 죽이고 말았다.

대구교도소로 이감

어제오늘 꽤 푸근한 날씨였다. 그곳은 어떤지?

지금쯤 집에서도 연락받았을 줄 아는데, 나는 어제 날짜로 이곳 대구교도소로 이감 왔단다. 너무도 갑작스레 와서 얼떨떨하였으나 잘 되었다고 생각한다. 사실 안동에 너무 오래 있어서 엉덩이가 얼얼할 지경이었으니까. 다만 그동안 정들었던 동지들과 헤어지게 된 것이 어찌나 섭섭하던지. 특히 이성우 선생님은 며칠 전 병사로 입병 하시어 여간 마음이 아픈 게 아니었는데 변변히 인사도 못 드리고 왔으니……. 목숨이 오락가락하는 칠십 노인을 이렇게 악착같이 잡아 두는 이놈의 정부에 정나미가 뚝 떨어진다.

이곳에 오니 풍경이 꼭 옛날 서대문형무소 닮았다. 안동은 건물은 깨끗하지만 시설이 너무 기계적이고 빈틈이 없어서 도무지 사람냄새 맡기가 어려웠는데, 이곳에 오니 사람도 버글버글하고 쿠린내도 좀 나고 출입도 자유로운 게 사람 사는 곳 같구나.

그러나 안동에 비하면 여기는 도시 한가운데나 다름이 없다. 공기가 너무 탁하다. 어제 이감을 오는데 대구 시내에 들어서서 다시 화원읍으로 빠지는 길이 마침 퇴근 시간과 겹쳐서 어찌나 밀리던지……. 호송차의 창 틈 사이로 간신히 보는 풍경이었지만, 저 엄청난 차와 매연과 시멘트 덩이 속에서 어찌들 살아가고 있는지, 참으로 나로서는 엄두가 나질 않는다. 괴물이 아니고서야 저런 환경 속에서 어찌 사나 싶었다. 아마도 지난 십 년 동안 내 몸에 도시에 대한 면역력이 거의 바닥 수준으로 떨어진 것 같구나. 지금 나는 매연 가스 한 모금이라도 제대로 마시기만 하면 속이 울렁거리고 영 맥을 못춘단다.

어딜 가나 다 일장일단이 있는 것 같다. 아쉬운 것은 이곳에 정치수들이 전용으로 쓰는 운동장이 없어 농사를 지을 수 없는 점이다. 그동안 안동에서는 농사짓는 재미로 살았는데 말이다. 그곳에서 내년 농사지으려고 씨를 잔뜩 마련해 놓았는데 모두 헛것이 되어 버리고 말았다. 참으로 아까운 것은 지난 일 년 동안 쎄빠지게 농사지어서 늙은 호박을 열 덩이 넘게 재어 놓고 열무를 뽑아 김장까지 담가 놓고 왔는데, 하나도 맛을 못 보고 그냥 온 것이다. 농사짓는 사람 따로 있고 먹는 사람 따로 있는 것 같다. 이제 내가 이리로 왔으니 그곳에서 내가 일구어 놓았던 밭은 다시 운동장이 되겠지…….

너무 늦게 대구에 도착하는 바람에 짐은 몽땅 창고에 넣어 두고

194

남요반 두 상 날낭 들고 내게 수어진 녹방에 늘어 왔다. 이번 이감을 대비해서 큰 방을 둘로 갈라 독방을 새로 만들었다는데 아주 깨끗하고 방도 안동보다 조금 넓다(1.6평). 다만 햇빛이 안 들고 화장실이 재래식이라 냄새가 좀 나는데 이 정도는 얼마든지 견딜 만하다. 아직은 방 안에 휴지걸이 하나 없다. 차근차근 살면서 또 징역쟁이 방을 꾸며야지. 조만간에 어머니와 면회 와 주길 바란다.

Kwon Field

아무것도 없을 것 같았던 이 곳도 봄이 되니 청소 아이들의 삽질을 피해서 여기저기 못 보던 풀들이 고개를 내밀고 있다. 다음에 다시 한번 자세히 목록을 만들어 보겠지만, 아무리 많아야 스무 가지도 넘을 것 같지가 않다. 언뜻 눈에 제일 많이 뜨이는 건 역시 냉이와 별꽃. 안동에선 꽃마리가 우점종이었는데 여기에선 보이질 않는구만. 새로운 건 별로 없고, 대신 오늘 처음으로 흰민들레를 보았다. 노란민들레는 비교적 흔하게 퍼져 있는데 흰 것은 처음이다. 꽃송이가 노란 것보다 조금 더 큰 게 품위가 있어 보이더라구. 그런데 이곳 민들레는 우리 토종보다도 서양민들레가 더 많아. 서양에서 온 것은 겉모양은 거의 같지만 꽃받침이 아래로 처진 게 다르단다.

오늘 우선 해 놓고 보자는 심보로 운동장으로 쓰는 사동 마당 안쪽 구석에 한 평쯤 되는 화단을 조성해 놓았단다. 일단은 돌멩이나 골라내고 흙을 한번 뒤엎어 놓았는데, 비오는 날을 이용해

여기저기 흩어져 있는 야생초와 몇 가시 채소들을 옮겨 놓을 삭성이다. 이 화단을 지키려면 무엇보다도 소 내 청소반 사람들에게 단단히 일러 놓아야 하는데 걱정이다. 담당이나 반장에게 얘기해 보아야 일 나간 반원들이 무심코 삽질해 버리면 그만이거든. 안동에서도 그런 일을 무수히 당한 끝에 겨우 화단을 인정받을 수 있었다. 그들 눈에 야생초가 화단에 곱게 모셔져 있는 것은 도무지 참을 수 없나 보다.

이곳에 새로 화단을 일구니 안동에 두고 온 화단이 눈앞에 아른아른한 게 보고 싶어 죽겠다. 지금쯤 온갖 싹들이 땅거죽을 뚫고 나와 키재기를 하고 있을 텐데……. 내 기억이 아직 살아 있을 때에 그 화단을 복원해 놔야겠다. 네덜란드의 게이 작가 윔은 이 화단에 'Kwon Field'라는 이름을 붙여 주었다.

복도 앞에 길쭉한 것이 야생초 화단이고 그 아래 밭고랑 8개는 상치나 들깨, 열무 등을 길러 먹던 밭이다. 그중 빗금 친 밭은 아예 쑥밭으로 만들어서 일 년 내 먹을 쑥을 생산해 내었지. 이제 야생초 화단을 자세히 들여다보자. 크기는 약 8×0.6제곱미터로 주로 다년생 풀들로 이루어져 있다. 제법 다양하게 메뉴를 꾸렸지만 만약 내가 일일이 손을 보지 않는다면 화단의 왼쪽은 석잠풀과 매듭풀이, 그리고 오른쪽은 조뱅이란 놈이 휩쓸어 버릴 것이 틀림없다. 놈들은 생장속도와 번식속도에 있어서 다른 풀들을 압도하거든. 그 밖에 이 풀들 사이에는 한해살이풀들이 틈만 나면 자리를 잡고 공간을 메운다. 이놈들은 화단 안 또는 그 주변과 운동장 바

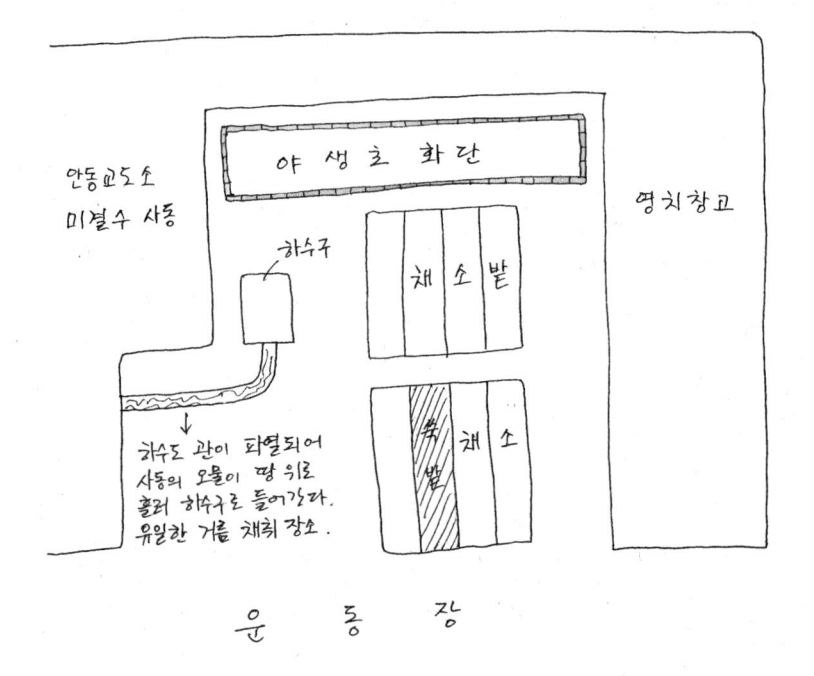

닥에까지 자리를 잡는 그악스런 놈들이지. 민들레, 씀바귀, 명아
주, 개망초, 주름잎, 질경이, 벼룩나물, 중대가리풀, 황새냉이, 강
아지풀, 닭의장풀, 뽀리뱅이, 지칭개, 쇠비름, 비름, 여뀌, 왕바랭
이, 방동사니, 까마중, 둑새풀, 나팔꽃, 닭의덩굴, 개쑥갓 등이 그
것이다. 위에 보면 나무가 한 예닐곱 그루 있는데, 모두 키가 허리
에도 오지 않는 작은 것들이다. 이것들은 모두 이 화단에서 씨로
발아하여 자란 것들이다. 화단에 있는 대부분의 풀들은 사회참관
나갔을 때마다 캐다 심은 것이고. 개중에는 힘들여 옮겨 심었으나
해를 넘기지 못하고 멸종한 것도 꽤 있다. 대개 씨를 받지 못해서

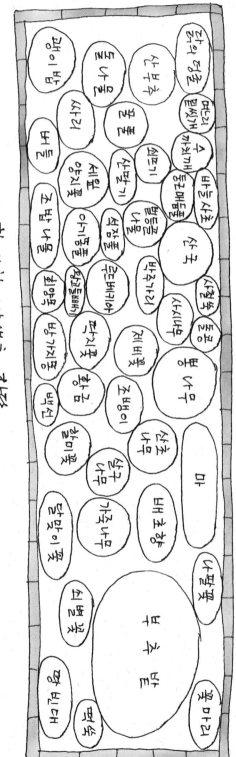

계속 키우지 못한 것들이지. 봄맞이꽃, 바위솔, 백선, 현호색, 참나리, 물굿, 패랭이, 신경초, 머위, 깨풀 등이 그것이다.

화단에 나 있는 것들은 거의 빠트린 게 없는데, 그 주변에 제멋대로 났다가 없어지는 것들이 위에 든 것 말고도 상당히 있을 것이다. 내가 작년에 네게 그려 보낸 것이 이들 중에 한 스무 개쯤 되나? 이곳에 화단을 새로 마련했으니 그 작업을 계속해야지. 이제 이곳에서 새로운 싸움이 시작되었다. 땅도 협소하고 풀도 별로 없지만 무엇이든지 새로 개척하는 것은 흥미로운 일이지. 아마도 이런 과정을 거쳐서 내가 이 나라에서 교도소 내 야생초에 관해서는 전문가로 불릴 날이 있을 거다.

초피나무 논쟁

요즘 이유미 씨가 쓴 ≪우리가 알아야 할 우리 나무 백 가지≫(현암사)를 아주 재미있게 읽고 있다. 600쪽이 넘는 분량이라 조금씩 읽다 보니 제법 시간이 많이 걸렸는데, 이제 겨우 몇십 쪽 남았다. 전문 지식을 갖춘 이로서 이 씨만큼 글을 매끄럽게 쓸 수 있는 사람은 아마 몇 안 될 거다. 그동안 풀과 나무에 관한 책이라면 돈 아끼지 않고 사다 보았는데, 사진이 좋으면 글이 나쁘고 글이 좋으면 사진이 시원찮고, 내용이 있다 싶으면 글이 영 재미가 없고…… 하는 식으로 두루 갖춘 책을 보지 못했는데, 가장 나이 어린 이유미 씨가 작품을 만들어 내었구나. 저자 소개를 보니 1962년 생으로 서울대 산림자원학과를 졸업했다 하니, 학번으로 치면 학과명 변경 전의 임학과 80학번 정도 될 것 같다. 임학과 80이라면 어쩌면 나랑 수업을 같이 받았을 가능성도 있다. 내가 농업교육과에서 임학을 전공했거든. 해서 임학과의 주요 과목들을 이수했지. 그때 여학생이 몇 명 있었던 것 같은데, 복학생이라 학점 따느라 정신이 없어서 강의실에 누가

앉아 있었는지는 전혀 기억에 없다. 임학과 나온 친구들에게 물어 보면 잘 알 텐데…….

아마도 이 책은 나무에 관한 책으로서는 10여 년 전에 출판되어 최초의 베스트셀러에 올랐던 임경빈 교수님의 《나무백과》(일지사) 이래로 가장 잘 나가는 책이 될 것 같구나. 이 책이 진작 나왔더라면 작년에 안동에 있을 적에 이 선생님하고 '초피나무 논쟁'을 마무리지었을 텐데 아쉽다. 그곳에 있을 때 이 선생님과 나는 늘 풀과 나무 이름, 성질 등을 가지고 논쟁하였단다. 나는 주로 책을 통해 얻은 지식을 가지고 주장하고, 이 선생님은 경험에서 우러난 지식을 가지고 논쟁하는 식이었지. 결과는 책에 의거해서 주장하는 내가 판정승할 때가 많았지만, 그 과정에서 많은 것을 배웠단다. 이 선생님이 젊으셨을 때 고향에서 들었던 풀 이름이라든지 유래 등이 다른 경로를 통해서 확인되곤 할 때마다 기존의 책들이 밝히지 못했던 것을 알게 되었으니까.

초피나무 논쟁은 무엇인고 하니, 내가 만든 화단 중앙에 가시가 많이 붙은 관목 하나가 심겨져 있었단다. 그것은 이 선생님이 사회참관 갔다가 캐온 것인데, 선생님은 이를 초피나무라고 불렀지. 그런데 내가 가지고 있는 도감을 보면 아무리 보아도 산초나무거든. 해서 운동하러 나가기만 하면 둘이서 초피다, 산초다 하고 논쟁을 하는 게야. 하루는 시골에서 살았다는 한 노인네가 운동하러 나와서 우리 얘기를 듣고 있다가 그것이 초피나무라며 자기 집에 있는 초피나무 얘기를 주욱 하는 게야. 내 코가 쑥 들어갔지. 그 뒤로 그 논쟁은 나의 잠정적인 판정패로 되어 더 이상 언급하지는

않았지만 나는 그것이 산초나무임을 믿어 의심치 않았다. 그러던 것이 이번에 이유미 씨의 책에 의해 그것이 확실히 밝혀졌다.

산초나무였던 거지. 하하하! 이유미 씨도 나와 똑같은 경험을 했던 모양이야. 해서 초피와 산초를 자세히 비교해 놓았더라구. 아, 이 책을 이 선생님께 보여 드려야 되는데. 곁에 계시지 않으니……. 하지만 초피나무의 특성이나 용도에 대한 선생님의 설명은 다 옳았다. 다만 우리 앞에 있는 산초나무를 초피나무로 착각했을 뿐이지. 이 책을 읽다 보니 이담에 우리 집 마당에 심을 나무의 수종이 대충 그려지는 것 같다. 능소화, 배롱나무, 자귀나무, 등나무, 수수꽃다리, 작살나무, 조팝나무, 보리수, 찔레나무, 으름덩굴나무, 가래나무, 대추나무, 모과나무, 때죽나무, 오미자나무, 산수유, 아그배나무……. 너무 욕심이 많나? 아무튼 될 수 있으면 위에 적은 나무들은 죄다 구해서 심고 싶구나.

함박꽃에 얽힌 논쟁

그저께 편지에 안동에 있을 때 이 선생님과 벌인 초피나무 논쟁에 대해 썼는데 오늘은 그보다 더 심각하게 다툰 목란 논쟁에 대해 쓰려고 한다. 왜냐하면 이 문제 역시 ≪우리가 알아야 할 우리 나무 백 가지≫를 통해 말끔히 해소되었기 때문이다.

한번은 북한에서 국화로 지정했다는 목란이 도대체 무슨 꽃이냐 하는 것을 가지고 논쟁이 붙었단다. (징역에서는 이런 것을 가지고 '심리 붙었다'고 하는데, 재소자들이 남아도는 시간을 보내기 위하여 이렇게 사소한 것들을 가지고 논쟁을 벌이곤 한다.) 아직도 많은 이들은 북한의 국화를 진달래로 알고 있지만, 북한 문제에 관심이 있는 사람들은 그것이 80년대에 들어와 목란으로 바뀐 사실 정도는 알고 있지. 그러나 도대체 목란이 무언지 제대로 알고 있는 사람이 없더구나. 서로 잘 모를 때는 목소리 큰 사람이 이긴다고, 저마다 속으론 긴가민가하면서도 큰소리들을 치며 논

쟁을 했던 기억이 새롭다.

여러 사람이 같이 떠들었지만 사동에서 풀 나무에 관심이 많은 사람은 아무래도 이 선생님과 나였으므로 결국엔 둘 사이의 논쟁으로 좁혀지고 말았지. 당시 이 선생님은 목란은 즉 함박꽃을 이르는 것이라고 하셨고, 나는 모란의 다른 이름이 아니겠는가 하고 맞섰지. 권위 있는 심판자가 없었으므로, 누구도 상대방의 주장을 분명히 반박하지 못한 채 흐지부지 끝나고 말았지만, 사실 나는 자신이 별로 없었다. 왜냐하면 모란은 중국이 원산지거든. 아무리 모란을 길러온 지 오래되었다 한들 중국 꽃을 국화로 할 리가 없지 않겠니?

그러나 내가 그렇게 주장한 데는 나름대로 근거가 있어서였지. 누구나 주장을 할 때는 어디선가 주워들은 바가 있기 때문일 터이니까. 첫째가 국어사전에 목련을 목란이라고 부른다고 써 있는데, 내가 본 북한의 수령화에 그려져 있는 꽃들은 결코 목련이 아니었거든. 나는 그때까지 함박꽃의 존재를 잘 모르고 있었으므로, 그것을 모란꽃으로 단정지었지. 실제로 모란은 부귀의 상징인 데다가 평양에 모란봉도 있지 않니? 지금에사 함박꽃이 어떻게 생겼는지는 알지만, 여전히 수령화에 바쳐진 꽃 그림은 모란꽃이라고 믿고 있다. 함박꽃은 홑잎인데, 수령화의 꽃은 크고 탐스런 복잎이거든. 어쩌면 함박꽃이 개량종일지도 모르지만. 어쨌거나 이 문제는 더 확인해 볼 필요가 있다.

이렇게 해서 내 머릿속엔 모란, 함박꽃, 목련, 목란, 게다가 모

란 비슷한 작약까지 마구 뒤범벅되어 갈피를 잡을 수 없게 된 거야. 해서 이번에 이유미 씨의 ≪우리가 알아야 할 우리 나무 백 가지≫를 계기로 내가 가지고 있는 온갖 자료를 다 뒤져 말끔하게 교통정리를 한 결과가 다음과 같다.

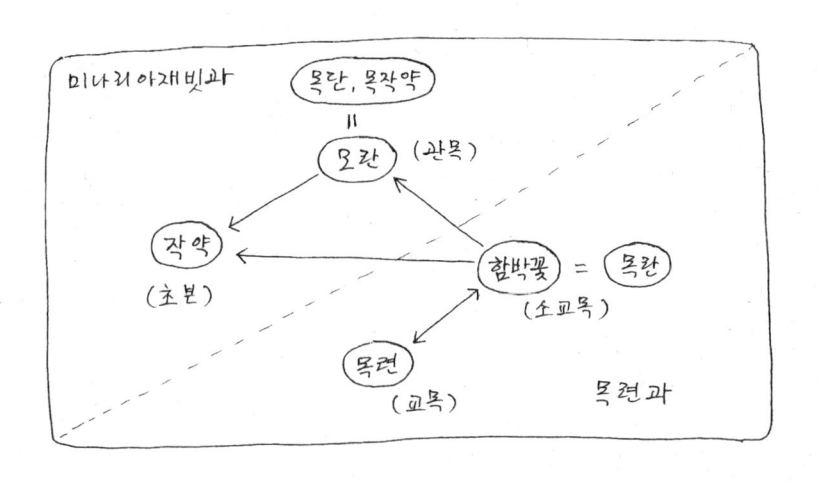

  도표가 좀 복잡하지? 그만큼 이 땅에서 이들의 이름이 섞갈려 사용되었음을 말해 주는 것이지. 먼저, 호칭을 보면 이렇다. 화살표의 방향이 그것인데, 모란이고 작약이고 목련이고 간에 모두 함박꽃으로 불리고 있다는 사실이다. '함박꽃나무' 는 고유한 나무 이름이지만 그냥 함박꽃이라고 말할 때는 모란이나 작약처럼 푸짐하고 탐스럽게 핀 큰 꽃들을 두루 일컫는다. 이것은 우리말의 '함박눈', '함박웃음', '함지박' 따위를 생각해 보면 어느 정도 수긍이 갈 것이다. 4가지 모두를 함박꽃으로는 불러도 역

으로 목련을 보란으로 부른나서나 함박꽃나무를 모란으로 부르지는 않는다. 다만 목련과 함박꽃나무는 지방에 따라 서로 바꿔 부르기도 하는 모양이다.

다음으로, 식물 분류에 의하면, 작약과 모란은 미나리아재빗과에 속하고 함박꽃과 목련은 목련과에 속하므로 이들은 서로 다른 나무임을 알 수 있다. 이에 따라 목련과 함박꽃나무의 꽃은 홑잎이고, 작약과 모란은 겹잎이다.

하나하나 살펴보면, 작약은 나무가 아니라 풀(초본)이다. 요즘 시골 농가에 가 보면 한약재로 쓰기 위해 재배되는 작약밭을 심심찮게 볼 수 있을 것이다. 같은 미나리아재빗과인 작약이 풀인 데 비해 모란은 관목이다. 모란은 작약과 비슷해서 목작약이라 부르기도 한다. 한자로는 목단(牧丹)이고. 이 모란이 바로 당태종이 보낸 꽃 그림을 보고 나이 어린 공주였던 신라 선덕여왕이 "꽃에 벌나비가 없으니 반드시 향기가 없으리라." 하고 말했다는 유명한 꽃이란다.

함박꽃나무가 바로 북한에서 국화로 지정된 목련이란다. 이는 나무 크기가 관목과 교목의 중간쯤에 있으므로 소교목으로 분류된다. 전하는 바에 따르면, 80년대 초반쯤 북의 김 주석이 숲속을 거닐다가 이 꽃나무를 보고 한눈에 반해 버린 나머지 이름을 목련이라고 짓고 그때까지 국화였던 진달래를

버리고 새로이 국화로 삼을 것을 '교시' 하였다 한다. 이 이
야기처럼 한 나라의 국화가 이렇게 즉흥적으로 결정되었을 리야
없겠지만, 함박꽃나무는 조선의 나라꽃이 될 만한 충분한 자격을
갖추었다는 것이 전문가들의 견해이다. 꽃이 탐스럽고 넉넉하게
큰 데다 백의 민족에 걸맞은 흰색이고, 같은 종류의 목련처럼 고
개를 빳빳이 들고 피는 게 아니라 '수줍어하는 산골처녀처럼 다
소곳이 고개를 숙이고' 피어 있어 겸손의 미덕이 있으며, 무엇보
다도 우리나라 토산종이라는 것이다. 92년 바르셀로나 올림픽 때
세계 각국의 나무들로 이루어진 기념공원에 우리나라를 대표하는
수종의 하나로 심겨졌다고도 한다.

　마지막으로 목련은 그 꽃이 봄의 전령사로서 대중의 사랑을 받
고 있는 나무로 너도 잘 알고 있을 것이다. 이것 역시 한국 토산이
있으며, 다 자라면 20미터까지 이르는 낙엽성 교목이다.

　이렇게 해서 목란 또는 함박꽃에 얽힌 논쟁을 마무리 짓는다.
속이 다 '씨~언하다'. 너도 알아 두면 유익할 듯하여 제법 자세히
정리해 보았다.

뻥빵 아이들

벌써 3주째 주말마다 비가 내리고 있다. 밖에 있는 사람들에겐 안됐지만, 갇혀 있는 우리들에겐 참으로 고마운 날씨이다. 평일에 비오면 운동만 못하고 기분도 영 그렇거든. 오늘도 아침부터 꾸물거리더니 낮이 되자 비가 촉촉이 내리고 있다. 비만 오면 왜 이렇게 감상적이 되는지 나도 모르게 온갖 공상에 젖어들게 된다. 공상도 한두 시간이지 하루 종일 할 수 있나? 자리를 털고 일어나 창문을 활짝 열고 심호흡을 한다. 흡! 순 똥내밖에 아니 나니 급히 창문을 닫고 좌정을 한다. (창밖에 뚜껑에 금이 간 정화조가 놓여 있어 창문을 열 수가 없다.) 마감이 가까워진 통신성서 숙제를 하느라고 성서와 교재를 붙들고 씨름을 한다. 몇 문제 되지도 않는데 시간은 왜 이리 많이 걸리는지.

그 사이 저녁밥 먹고(밥, 돼지고기국, 김치, 콩나물), 이 닦구 저녁 점검을 마치었다. 여긴 소년수 사동이라 점검 한번 하면

요란뻑적지근하다. 저쪽 출입구 방에서부터 담당이 "점검!" 하고 소리치면 관구 주임이 각 방 앞을 지나치는데 그때마다 방안의 아이들이 '앉아번호'를 한다. 얘들은 이때가 무슨 스트레스 푸는 시간이라도 되는지 악을 써 대는데 번호소리는 하나도 안 들리고 이상한 고함소리만 파도처럼 계속되는 거야. "하나, 둘!"까지는 들리는데 그 다음부터는 "세에, 으악, 악, 아이, 아으~" 하다가는 마지막 놈이 "번호 끝!" 하는 거야. 한 방에 열 명에서 열다섯 명씩 열한 개 방이 연속적으로 이런 괴성을 질러 대니 그 모습이 얼마나 가관인지 상상해 보아라. 때때로 어떤 주임은 점검하다가 너무 시끄러우니까 야단도 치지만 그것도 그때뿐, 다음날 되면 또 마찬가지. 집단생활이란 게 묘해서 막상 집단 속에서 이런 구령동작을 하게 되면 자기도 모르게 악을 쓰게 되어 있다. 게다가 어린 아이들의 장난기까지 섞였으니 정신이 하나도 없지. 하루에 이런 점검을 세 번씩이나 받는다.

또 내 방 위층에 있는 아이들은 저녁마다 무엇을 하는지 난리도 그런 난리가 없다. 저녁 방송시간만 되면 위에서 쿵쾅거리기 시작하는데 어떤 땐 천장이 무너지지 않나 걱정이 될 정도야. 아마 이놈들이 방안에서 레슬링이나 축구를 하는 모양이야. 얼마 전에 도저히 견딜 수 없기에 담당을 시켜 방의 우두머리 되는 놈을 불러다 야단을 좀 쳤더니 요즘은 꽤 얌전해진 편이다. 듣자하니 그 방은 '뽕' 방이라서 도대체 컨트롤이 안 된다나. 아이들에게 뽕이라니, 아마 향정신성 관련으로 들어온 애들인가 보다. 지나가다

가 흘끗 들여다보면 아직 솜털도 안 난 아이들이 초롱초롱한 눈을 빛내며 쪼그리고 앉아 있는 모습이라니! 그런 아이들까지 무조건 다 잡아들여 그렇지 않아도 비좁은 감방을 꽉꽉 채워야 하는 건지 도무지 이해할 수 없다. 무조건적인 감금수사가 결국은 바늘도둑을 소도둑으로 만든다는 것을 모르진 않을 텐데 말이다. 이 아이들의 70~80%가 거의 결손 가정 출신이라는데, 가정의 파괴와 함께 청소년 범죄는 앞으로도 더욱 늘어날 수밖에 없을 것 같다.

나팔꽃 명상

내 방 화장실 창턱엔 나팔꽃 한 포기 아니, 두 포기가 자라고 있다. 컵라면 용기에 둘을 심어 놓았는데, 서로 의지하여 비비꼬아 가면서 잘 자라고 있지. 이 나팔꽃은 이웃에 계신 김 선생님이 싹을 틔운 것인데, 키워 보라고 주실 때 처음에 사양했다가 선생님의 성의를 무시할 수 없어 받아서 키우게 되었단다. 왜 사양했냐 하면 작년에 안동에 있으면서 내가 나팔꽃을 너무도 많이 '살육' 했기 때문에 좀 찔리는 바가 있어서였지.

그러니까 2년 전에 화단 한쪽 구석에 나팔꽃을 두어 그루 심어 기른 적이 있었어. 이놈이 다 커서 열매를 주렁주렁 달았는데, 가을에 귀찮아서 치우질 않고 그대로 두어 버렸던 거야. 그 다음에 봄이 되어 어찌 되었겠니? 하여간 봄부터 시작해서 여름까지 그 일대에서 시도 때도 없이 나팔꽃이 올라오는데, 뽑아도 뽑아도 한정이 없더라구. 내버려 두었다가는 나팔꽃 덩굴로 화단이 엉망이 될 게 뻔하니 운동장에만 나오면 나팔꽃을 제거하는 것이 일과이

212

다시피 했지. 그 와중에서도 대여섯 그루는 끝까지 꽃을 피워 자손을 보았으니……. 이런 몹쓸 인연을 방금 맺고 온 내가 아무리 삭막한 대구 징역이란들 나팔꽃에 선뜻 손이 나가겠니?

　김 선생님은 밖에 계실 때 사업하시느라 식물 따위의 '생명'에 대해서는 전혀 생각해 본 일이 없다가 징역에 들어와서야 새로 발견하게 된 이런 조그만 신비들이 무척이나 신기하고 대견했던 모양이야. 나팔꽃을 싹틔워서 동료들에게 골고루 나누어 주시더라구. 이런 것을 보면 징역이란 깨달음의 장소이기도 하다. 그런데 같은 날 싹틔운 나팔꽃인데도 내가 기르는 것이 가장 빨리 그리고 튼튼하게 자랐단다. 다른 사람들 것보다 거의 두 배 이상으로 키도 크고 잎도 무성하지. 물론 나의 원예 경력이 이유가 되겠지만 역시 중요한 것은 꽃에 대한 염원이란다. 즉 얼마나 정성스럽게 꽃에다 염파(念波)를 보내느냐이지. 매일 아침 일어나서 물을 주는데, 흙의 상태와 그날의 날씨에 따라 주는 양이 다르다. 그리고 물을 준 뒤엔 꼭 나팔꽃을 부드럽게 쓰다듬으면서 밝고 건강하게 자라라고 격려해 준다. 어떻게 보면 나팔꽃은 나의 기를 먹고 자라는 것과도 같지.

　발육이 더딘 다른 사람의 것을 알아보니, 첫째로 물주기를 잘못하고 있고(너무 많이 주거나 안 줌), 둘째로 생육에 별로 신경을 쓰지 않는 거야. 식물이 조건만 맞으면 저절로 자라는 것은 사실이지만, 인간의 개입으로 인해 그 발육이 촉진될 수 있음을 모르고 있더라. 오늘 보니 꽃몽오리가 진 게 한 며칠 뒤에는 꽃을 볼 수 있을 것 같구나. 꽃이 피걸랑 그림과 함께 소식 전하마.

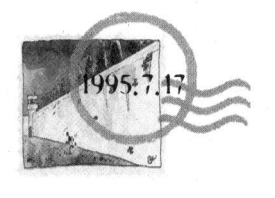

과식을 하더니 기어코

모기 이야기

연일 30도를 오르내리는 무더위의 연속이다. 어찌 지내는지? 나는 호리호리한 편이라 더위는 잘 참는 축에 속하지만, 이놈의 모기만은 어쩔 수가 없다. 이런 걸 두고 달밤에 체조라 하겠지? 한참 잘 자다가 야식을 즐기는 모기 등쌀에 잠이 깨어서는 한밤중에 파리채를 들고 설치는 내 모습을 상상해 보아라. 어떤 때는 파리채를 들고 한참을 휘두르다가 문득, 지금 내가 뭐 하는 거지? 하는 자각과 함께 다시 잠을 청하기도 한단다. 모기장을 창문 사이에 쳤는데도 불구하고 놈들이 어디로 들어오는지 신기하기만 하다. 난 처음에 모기장을 치면서 이 정도로 방비하는데도 뚫고 들어오는 놈들은 그 노력이 가상하여 살려주겠노라고 작정하고 있었단다.

엊그제였다. 한참 맛있게 자고 있는데 한 놈이 계속 주위를 뱅뱅 돌면서 귀찮게 구는 거야. 워낙 졸려서 에이, 내버려 두자, 먹을 만치 먹으면 가 버리겠지 하는 생각으로 어서 빨아 먹으라고 일부러 가만히 있었지. 내가 얌전히 대 주니까 녀석이 사뿐히 내려

214

있아 맛있게 쭐아 믹고 가더라고. 길 때 보니 배때기가 제법 발그레한 게 통통하더라고. 맘놓고 다시 잠을 자려고 몸을 뒤척이는데 아, 이 녀석이 저만치 가다가는 다시 오는 게 아닌가! 그래서 나는 '음, 이 녀석이 좀 아까는 탐색하느라고 양껏 먹지 못한 모양이군.' 하고 생각하고는 한 번 더 대 주기로 했지. 쥐 죽은 듯 가만히 있으니 또 사뿐히 내려앉아 빨아 먹더라고. 이 정도면 웬만큼 먹었으니 됐겠지 하고 놈을 날려버리고 다시 잠에 빠져들었지.

한 5분 정도 잠들었을까, 갑자기 어딘가 따끔! 하는 느낌에 다시 잠을 깨어 살펴보니 아까 그놈이 어느 샌가 또 달겨들어 피를 빠는 거야. 얼른 몸을 빼고 쫓았더니, 세상에! 얼마나 처먹었던지 배가 띵띵해 가지고 잘 날지도 못하는 게야. 그 뒤뚱거리며 나는 모습이라니! 그것을 보니 갑자기 잠이 싹 달아나고 부아가 나더라고. 벌떡 일어나서 머리맡에 있는 파리채를 잡아들고는 놈이 벽에 앉기를 기다려 그대로 휘둘러 갈겼지. 무자비하게. 아마 유혈이 낭자하다는 말은 이럴 때 써야 할 것 같다. 하얀 벽에 거의 손톱 크기만 한 핏자국이 선명하게 찍혀 있는 거야. 하여간 무지스런 놈이었다. 적당히 먹고 갔으면 아무 일 없었는데 기어코 과식을 하더니 저 지경을 당하지. 이것만 보더라도 과식은 건강에 해로움을 잘 알 수가 있을 것이다. 너도 잘 알아 두어라. 과식은 곧 죽음에 이르는 길임을!

옥담 아래 뜀박질

　　오늘은 어쩌면 징역 들어와
가장 오랫동안 뜀박질을 한 날이지 싶다. 어제 운동시간에 동화랑
농구를 하다가 그만 왼쪽 손가락 하나를 접질려 버리고 말았거든.
해서 할 수 없이 뜀박질을 했지. 한 시간 가까이 쉬지 않고 달렸
다. 이곳에 와서 뜀박질은 거의 하지 않았는데 지치지도 않고 잘
되데. 나로서는 마라톤이나 다름없지. 어디에서 뛰냐고? 그림에
서 보다시피 옥담 아래를 한정 없이 왔다 갔다 반복하는 거야. 한
변이 제법 길어서 뜀박질하기엔 안성맞춤이지. 게다가 감시대 위
에선 경비원이 총 들고 똑바로 뛰는가 감시하고 있으니 옆길로 새
지도 못한다.

　　뜀박질이란 게 워낙에 단순한 운동이라 한 몇십 분 뛰다 보면
곧 지겨워지기 마련이다. 오늘은 이상하게도 운동시간이 끝날 때
까지 쉬지 않고 계속 달려야겠다는 오기가 생기더라고. 그래서 지
루함을 달래려고 공상을 하기 시작했지. 이담에 밖에 나가면 어떻
게 살 것인가 하고 말이야. 우선은 시골에 농장을 마련하여 흙집

216

을 짓는데, 아궁이는 이렇게 놓고, 뒷간은 저렇게 놓고, 밭에다가
는 무엇무엇을 심고, 저녁엔 집안에서 창작활동을 하고……. 막연
한 공상이 아니라 미세한 공정 하나하나를 그리면서 달리다 보니
조금도 지치지 않고 엄청난 거리를 달리게 되었다. 마치 사이버
비주얼 머신(Cyber Visual Machine)이라도 장착하고 뜀박질한
것 같았다. 이것으로 보아 육신의 피로는 정신상태에 의해 크게
좌우됨을 알 수 있다. 지금 방에 들어와 이 편지를 쓰면서 생각해
보니 낮에 했던 뜀박질이 마치 가상 공간에서 한세월 살다 온 것
같은 기분이 든다. 방안에 가만히 앉아서 공상할 때와 확실히 차
이가 있었다. 손가락이 회복될 때까진 당분간 계속 뜀박질을 해야
할 것 같다.

뜀박질이 끝나고 숨을 고르기 위해 담 밑에 서서 허리를 펴고 하늘을 올려다보았다. 담 너머 미루나무 사이로. 아, 선아! 내 눈앞에 펼쳐진 그 찬란한 색깔의 대비를 어떻게 표현해야 할지! 하이얀 담벼락과 반쯤 단풍이 든 황록색의 미루나무, 그리고 그 사이로 마치 내 영혼을 빨아들일 듯한 깊이를 지니고 흰 담과 황록의 나무를 떠받치고 있는 코발트빛 하늘. 이 기막힌 색의 대비는 늦가을의 서늘한 공기와 강렬한 햇빛이 아니면 빚어낼 수 없는 대자연의 작품. 그것을 감히 그릴 수는 없고 여기에 스케치만 해 둔다. 나는 숨을 고르려고 하늘을 쳐다보았다가 오히려 숨을 죽이고 말았다.

오늘 겪은 웃기는 얘기 하나. 운동 끝나고 들어오는 길에 내가 봄에 운동장 구석에 심어 놓은 컴프리 잎을 두 장 따 가지고 들어왔단다. 컴프리 잎의 즙이 근육과 힘줄을 풀어 주는 효과를 가지고 있거든. 방에 들어와서 밥그릇에 넣고 열심히 짓찧어 즙을 내었지. 짓이긴 잎과 즙을 조심스럽게 떠서 다친 손가락 위에 놓고 비닐로 잘 감쌌지. 풀어지지 않도록 실로 단단히 묶고는 컴프리즙의 기적적인 효력을 상상하며 ≪바울로의 고백≫(마르띠니 지음)이란 책을 읽고 있었다. 한 시간쯤 지났을까? 물건을 집으려고 손을 뻗었는데 치료도 안 한 넷째 손가락이 굽어지지가 않는 거야. 이상하다 싶어서 자세히 들여다보았더니 이런 멍청하게도 다친 넷째 손가락을 놔두고 멀쩡한 가운뎃손가락을 치료한 거야. 쓴웃음을 지으며 다시 풀어서는 제대로 처치를 했지. 그러고 보니 간

혹 병원에서 이와 유사한 사고가 일어나는 게 이해가 가더라구. 마침 어제 ≪코리아 헤럴드(Korea Herald)≫의 앤 랜더즈 칼럼에도 이와 비슷한 얘기가 실렸더라구. 한 다리 수술 환자가 의사의 실수를 염려한 나머지 수술 직전 마취에 들어가기 전에 매직펜으로 자신의 멀쩡한 다리에다 "칼 대지 마시오. 아픈 다리는 이 다리가 아닙니다!"라고 써 놓았다나. 그러면서 수술 받는 환자들에게 이 방법을 써 보라고 권고하고 있더라고. 조크치고는 꽤 심각한 조크지?

양파계란부침

이제 완연한 겨울이다. 어제 이곳에서 처음으로 얼음을 보았다. 아침에 담요를 널러 나갔더니 땅바닥에 고인 물이 꽁꽁 얼어 있더군. 얼음이 얼어야 겨울이지. 하지만 내 방에는 지금 양파를 키우고 있어서 마치 온실 같다. 된장 찍어 먹으라고 나온 생양파를 물그릇에 담가 싹을 틔운 것이지. 물만 먹고서도 어찌나 잘 자라는지 금방 잎이 무성해진다. 양파 알뿌리에 영양분이 많이 저장되어 있는 것 같다. 양파 줄기가 쑥쑥 올라갈 때마다 알뿌리가 쭈글쭈글해지는 것을 보며 부모와 자식의 관계가 떠올랐다.

이제 며칠 후면 어머님의 예순세 번째 생신이다. 너는 무슨 선물을 준비하고 있니? 여기 양파를 바라보며 떠오른 시 한 수 적어 보내니 생신날 어머니께 읽어드리렴. 그런데 이거 시 맞는지 모르겠다.

양파 농사 풍년이라더니
매일같이 양파가 나온다.
날로 먹고 무쳐 먹고 절여 먹고
먹어도 먹어도 물리지 않으니
양파는 참 좋은 음식

어렸을 적 엄마가 해 준 반찬 중에
가장 맛난 것도 바로 이것
양파 썰어 넣은 계란부침.
씹을 때의 그 그윽한 맛은
양파의 속살에서 나온 걸까,
양파 써는 엄마의 손끝에서 나온 걸까?

지금도 울 엄마 손을 들여다보면
달짝지근한 양파 냄새 나는 것 같다

선아, 어떠니? 갑자기 어릴 적 어머니께서 만들어 주신 양파 넣은 계란부침이 생각나서 손 가는 대로 적어 보았다. 이담에 내가 나가면 식구들 생일 맞을 때마다 양파계란부침을 한 번씩 해 줄 참이다. 이젠 계란 부치는 것은 선수거든.

추운데 감기조심하고 식구들에게 두루 안부 전해다오.

무위에 의한 학습

그림을 그리다 보면 무작정 정진하는 것만이 능사가 아님을 알게 된다. 하다가 잘 안 되면 좀 쉬는 게 최선이지. 쉬긴 쉬지만 머릿속으로 그 그림을 계속 그린다. 그러나 어떤 때는 잠시나마 그림 그린다는 사실을 완전히 잊고 다른 일에 몰두하기도 한다. 그러다가 어느 때, 문득 그 그림이 그려지고 싶은 거다. 무심코 붓을 잡는다. 그림이 놀랄 정도로 잘 된다. 한동안 쉬었음에도 불구하고 말이다. 전에는 몰랐던 테크닉이 저절로 구사되기도 하고 아무리 애써도 만들어지지 않았던 색깔이 어느덧 만들어지기도 한다. 바둑 공부에서도 이런 일이 종종 있다. 나는 이것을 '무위(無爲)에 의한 학습' 이라고 이름 붙였거니와, 학습에 있어서도 무리함이란 결코 도움이 안 됨을 깨닫게 되었단다.

엊그제 2년 전에 그리다 그리다 잘 안 되어 내버려 둔 농가 토담 그림을 갑자기 회가 동하여 다시 그려 보았다. 결과는 대만족.

아, 이렇게 해서 그림 실력이 한 단계 올라서게 되는 것을 느낄 수 있었다. 물론 지난 두 달 동안 교정작품전시회(미술활동을 하는 재소자들의 작품전시회)를 준비한다고 애쓴 과정이 있었지만 겨우 그 정도 가지고 실력이 향상되었다고 말할 수는 없거든.

돌이켜 보면 실제로는 그리지 않고 있었어도, 관념 속에서 또 손안에서 그림 그리기는 계속되고 있었던 거다. 실제로 괜찮다 싶게 그려진 그림을 보면 그것이 결코 나의 의지로만 그려진 것이 아님을 인정하게 된다. 우리네 삶은 일정부분 우리가 스스로 컨트롤할 수 없는 어떤 '무의식'에 의해 지배받고 있음을 그림을 통해서도 확인할 수 있기 때문이다. 그래서 나는 그림이 잘 되었을 때 스스로 대견해 하기 보담 신께 감사하는 마음을 갖게 되었단다.

우리가 흔히 일컫는 '명작'이란 무한한 가능성 속에서 우연히 일궈 낸 거품 같은 것이다. 명작은 작가가 그리고자 의도한다고 해서 되는 게 아니다. 증산 계통의 언어를 빌어 표현한다면 '천지도수'가 맞아 떨어져야 명작이 나오는 법이다. 때로는, 그림은 별로인데 관람자가 만드는 명작이 있다. 명작의 기본 조건이 사람들로부터 인정받는 것이므로 그것 역시 명작이라 할 수 있다. '천지도수'란 작가가 그림을 그리는 과정에만 적용되는 것이 아니라, 그림의 유통과 소비 과정에도 모두 적용되는 것이거든.

나는 행복하게도 그림이 천지의 기운에 떠받들려 그려진다는 사실을 내 나이 열일곱 무렵에 알게 되었단다. 계곡과 들판이 어

우러진 어느 외딴 곳에서, 마치 장차 무림(武林)에 진출할 나 어린 검객이 홀로 산중에서 정진하듯이, 천지에 홀로 서서 무아지경 속에 그림을 그리던 그때를 잊을 수가 없다. 진정, 道에 몸을 맡길 수 있음은 행복이 아닐 수 없다.

문신

요즘 신문이나 잡지에 난 책 광고를 보면 '몸'을 주제로 한 책들이 많이 쏟아져 나옴을 알 수 있다. 性 또는 sexuality에 관한 책의 범람도 이와 무관치는 않겠지. 그 영향이랄까 내 서가에도 몸에 관한 책들이 상당히 꽂혀 있다. 오래 전부터 데카르트적 영육이원론에 의문을 품고 나름대로 몸에 관한 통일적 견해를 정립해 보려고 노력하고 있지. 몸에 관련된 최근의 담론 중에 이런 말이 있다. "몸은 사회적 행위의 총화다."

나는 이 말을 복잡한 철학적 추론을 통해서가 아니라 지극히 단순한 '관찰'과 '대화'를 통해 확인하고 있다. 내가 소년수 사동에 있는 관계로 자연히 그들과 함께하는 시간이 많은데, 이들의 몸을 보면 그 아이의 경력과 범죄 유형이 한눈에 드러나지. 이 아이들의 몸을 다른 사람들과 구분짓는 가장 큰 특징은 문신과 변형된 성기란다. 이 두 가지는 마치 마오리족의 얼굴 문신처럼 이 아이들에게 일종의 귀속 의식을 심어 주는 신분증 역할을 하고 있

지. 샤워할 때 보면 저마다 온갖 시술을 해서는 마치 포도송이같이 무거워 보이는 성기를 달고 있는 게 우습다 못해 섬뜩하게 느껴진다. 한번은 유난히 흉칙한 물건을 달고 있는 녀석에게 다가가 죄명을 물었지. 다행히 단순폭력이더라구. 나는 녀석에게 다짐을 주었다. "너 분명 폭력이지? 성폭은 아니지? 너 앞으로 나가서도 절대 성폭만은 말아라. 만약 그 물건으로 성폭을 했다가는 살인이나 마찬가지가 되니까. 알았지?"

짐작컨대 이 아이들에게 성기 시술은 여성에 대한 지배 심리, 그리고 같은 또래 집단 내부에서의 우월심리를 표현하는 수단이 아닌가 여겨진다. 문신 또한 마찬가지 이유로 성행하고 있다. 소에서는 문신 행위를 막기 위해 수시로 몸 검사를 하지만 아무래도 근절시키기엔 역부족이야. 문신의 종류도 간단한 하트 모양에서 온몸을 휘감은 용 그림까지 다양하기 그지없다. 글자도 많이 쓰는데 가장 많은 글자는 일본말인 '사이고마데'이다. '최후까지' 싸우겠다는 건지, 아니면 '최후까지' 건달로 살겠다는 건지……. 종종 얼굴에 문신을 한 사람도 보이는데, 심지어 이마 한가운데 '法' 자를 문신한 사람도 있단다. 조선시대 형벌 중에 이마에 죄인임을 표시하는 문신형이 있었는데 그것을 제 스스로 하는 사람은 처음 보았다. 아마도 죄를 짓지 않고는 살 수 없는 이 사회에 대한 저항의 표시이지 않을까 싶다. 그러나 뭐니 뭐니 해도 내가 본 것 중에 가장 심각한(?) 문신은 '反戰反核(반전반핵)' 문신이다. 안동에서의 일인데, 김천교도소에서 갓 넘어온 아이였지. 그 아이는 80년대 말 데모 현장을 기웃거리던 룸펜, 소위 '밥풀떼

기' 중의 하나였다. 데모가 아니라 절도 행위로 감옥에 들어와서는 대학생 형님들의 옥중투쟁 모습이 하도 멋져 보여 그 무렵 외치던 구호를 자기 넓적다리에다 새겼다나?

가까운 일본이나 서양에서는 문신이 예술로까지 인정받고 있는 모양이나, 아직 우리나라에서는 범죄자의 낙인 정도로 인식되고 있다. 나 역시 문신에 대해서는 보수적인 생각을 면치 못하고 있지. 하느님께서 만들어 주신 몸에 함부로 낙서해서 좋을 게 없으리란 단순한 생각에서 말이야.

그러나 때때로 아프리카 원주민들의 문신에서 충격적인 아름다움을 느끼기도 한다. 그들의 문신은 이미 자연의 일부가 되었기 때문일까?

조뱅이, '좆뱅이 치다'

내가 살고 있는 사동 바로 옆
건물은 조적 훈련 공장이란다. 재소자들에게 벽돌 쌓는 훈련을 시
키는 곳이지. 매일 아침 쓰레기통을 비우러 나가다가 그 건물 앞
에 잠시 서서는 하늘도 올려다보고 심호흡도 하곤 하지. 그 건물
의 담벼락 바로 밑에는 항상 푸릇푸릇한 풀싹이 돋아나 있는데,
여느 담벼락 밑에서나 흔히 보는 잡풀이 아니라 조뱅이다. 조뱅이
는 죽순처럼 땅속을 달리며 싹을 틔우는 다년생 초본인데 그 생명
력이 놀라울 정도로 끈질기단다. 옛날에 안동에서 내가 야생초 화
단을 가꾸었을 적에 사회참관 나갔다가 조뱅이 한 뿌리를 캐다 심
었는데 어찌나 잘 번식하는지, 매일 아침 운동 나오면 땅속에서
새로 나온 싹이 몇 개나 되는지 세는 게 그날의 재미였단다. 다 자
라면 엉겅퀴 비슷한 보라색 꽃을 피우는데 잎 가장자리가 톱니같
이 날카로워 접근하기 어려운 풀이란다. 그러나 어린 싹은 나물로
무쳐 먹기도 하지. 그런데 이곳에 난 조뱅이는 장소를 잘못 택해
나는 바람에 한 번도 꽃을 피우는 것을 보지 못했다. 사람들이 지

228

나다니면서 밟고 또 수시로 청소원들이 뽑아 버리니 노대체 한 뼘 이상 커보질 못하는 것이야. 그렇게 뽑아 대고 밟아도 끈질기게 싹을 틔우는 것을 보면 혹시 저놈이 이곳의 인간들에게 대결의식을 갖고 있는 게 아닌가 하는 생각이 들 때가 있다. 누가 이기나 보자는 것이지. (이놈이 싹을 계속 틔우는 것은 자연의 본성이겠으나, 내가 보기에는 자리를 잘못 잡아 엄청나게 고생하고 있는 것이 틀림없다. 징역말로 이런 고생을 '좆뱅이 친다'고 하는데, 하필 이름이 발음도 비슷한 조뱅이람!)

오늘은 이놈을 보고 있다가 문득 우리 재소 형제들의 처지가 이와 같지 않은가 하는 생각이 들었다. 한번 전과자라고 찍히면 생전 꽃 한 번 피우지 못한 채 사회에 나가서 짤리고 짤리고 하는 것이 너무도 흡사하다. 그렇다고 해서 그들이 이 사회로부터 아주 없어지는 것도 아니다. 어둠의 자식들이 되어 땅속에 또 하나의 세계를 만든다. 그러다가 여건만 맞으면 언제라도 밝은 세상으로 비집고 나오는 것이다.

밟으면 밟을수록 조뱅이 잎의 가장자리가 더욱 날카로워지는 이치를 아는가? 뽑으면 뽑을수록 땅속에선 무수한 조뱅이 새끼들이 언제고 뚫고 나올 준비를 하고 있다는 걸 아는가?

관찰력

심산유곡의 폭포수를 그리고 있다. 요즘 그리는 그림이지. 때때로 붓 가는 대로 대담하게 휙휙 그려 보고 싶지만, 참고 있다. 아직은 익혀야 할 기본기가 많기 때문이지. 전체는 물론 세부적인 데까지 뜻대로 묘사가 가능하다고 판단될 때까지는 주관적인 감정이입을 될 수 있는 한 자제하고 있다. 그림을 그리다 보면, 늘 알고 있었던 사실도 새삼스럽게 그렇구나! 하고 느낄 때가 종종 있다.

그림 그리는 사람의 가장 중요한 덕목 중의 하나는 관찰력이다. 관람자에게 강렬한 인상을 주는 그림일수록 화가의 관찰력이 뛰어남을 알 수 있다. 관찰력은 훈련에 의해 강화된다. 그런데 그저 대상을 오래 바라본다고 해서 관찰력이 강해지는 게 아니란다. 대상의 각 부분을 서로 비교 대비시켜 가면서 바라보아야 관찰력이 강해진다. 우리는 보통 어떤 대상을 오랫동안 바라보고 나서는 그것에 대해 잘 안다고 생각하는 버릇이 있다. 그런 사람더러 보지 않고 그것을 설명해 보라(또는 그려 보라)고 하면 탁 막

혀 버리는 것을 종종 본다. 관찰하는 데 있어 시간은 별로 중요한 변수가 못된다. 관찰력이 탁월한 사람은 아무리 짧은 시간이 주어져도 단번에 대상의 특징과 디테일을 잡아낸다.

엊그제도 그런 경험을 했다. 수풀을 그리는데, 풀과 나무와 흙덩이가 마구 뒤엉킨 그것을 일일이 묘사할 수 없으니까 중간 붓을 사용하여 대충 얼버무리는 방식으로 그려 보았다. 물론 그리기 전에는 대상(사진)을 충분한 시간을 가지고 들여다보았지. 안 보고 그릴 수 있다 할 정도로. 그러나 대충 그리는 것으로는 결코 원래의 수풀 기분을 제대로 낼 수가 없었다. 이번에는 가는 붓을 사용하여 세부묘사를 해 보았다. 풀 하나, 나뭇가지 하나, 돌멩이 하나 모두 가려서 그려 보았지. 그랬더니, 세상에 이럴 수가. 그렇게 오랫동안 여러 번 보아 왔던 대상에서 보지 못했던 것이 속속 드러나는 것이었다. 이전엔 말하자면, 보긴 보았으되 껍데기만 본 셈이지. 풀과 흙은 보았지만 풀과 풀, 풀과 흙의 그림자가 서로 어떻게 교차되고, 그 각각의 색깔 대비가 어떻게 이루어져 있는지, 그리고 풀 그림자 너머에는 무엇이 있는지……, 이런 것들은 하나도 보지 못했던 거야. 그러하니 아무리 애써서 모양을 흉내 내 보아도 현실감이 안 났던 거지. 그 수풀은 중경(中景)에 해당되는 것이어서 결국은 중간 붓으로 처리되고 말았지만, 같은 터치로 그려졌음에도 나중의 것이 훨씬 현실감이 있음은 말할 것도 없다. 진리에 다다르는 방식으로 내가 즐겨 쓰는 비유인 '숲 안팎 변증법'(숲 밖 · 숲 안 · 숲 밖을 반복적으로 드나들면서 숲의 실체를 파악하는 방법)을 여기서 다시 한번 확인할 수 있었다.

세상일 또한 그렇다. 특히 사람 사이의 관계가 그래. 겉으로 보기에 소문이건 자신의 직접 관찰이건 간에 아무리 그럴 듯한 사람일지라도 구체적인 사안을 가지고 함께 뒹굴어 보지 않는 한 그 사람을 안다고 말할 수 없다. 설사 같이 산다고 하여도 십 년이 지난 뒤에야 상대방의 새로운 모습을 보게 되는 경우도 허다하다. 만약에 화초를 십 년 키운다면 이런 일은 결코 없을 것이다. 나는 이 차이가 양자의 창조적 능력에서 비롯된다고 본다. 식물에게도 창조적 능력이 없는 건 아니겠으나 인간의 그것은 진정 하느님의 선물이 아닐 수 없다. 그런데 이 능력의 대부분이 관찰력에서 나온다는 사실을 아시는지?

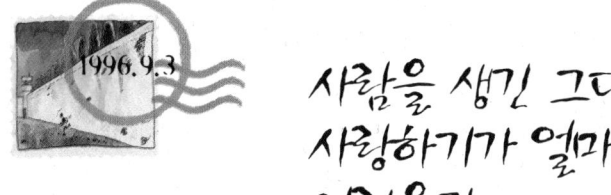

사람을 생긴 그대로
사랑하기가 얼마나
어려운지

"사물이 어떠해야 된다는 생각에 매달리기보다 그들은 복되게
도 있는 그대로의 사물을 적극적으로 받아들이는 능력을 갖고
있는 것 같다."

≪오래된 미래 : 라다크로부터 배운다≫, 87쪽
(헬레나 노르베리 호지, 녹색평론사)

이런 능력을 갖고 있는 라다크인들도 어쩌면 이 세상에서 가장
평화로운 사람들일 거다. 서구인인 저자의 목격담 중에 이런 것이
있다.

화물 트럭을 타고 여럿이 여행을 가고 있었는데, 그중에 델리에
서 온 인도 학생이 둘 있었다. 이 아이들이 몸을 몹시 비틀자 채소
자루 위에 앉아 있던 라다크인 아저씨가 그 애들에게 자리를 양보
하였다. 그들은 별 감사의 표시도 없이 자리에 앉았다. 한참을 가
다가 차가 길가에 서서 휴식을 취하자 학생들은 라다크인에게 찻
물을 끓이라고 명령하듯 말하였다. 마치 자기 하인에게 말을 하듯

이. 그런데도 이 라다크인은 싫은 내색 하나 하지 않고, 불평 한마디 없이 묵묵히 그 일을 했다. 더욱 놀라운 것은 주변에 있는 다른 나이 든 라다크인들도 누구 하나 간섭하지 않고 마치 별일 아니라는 듯 그냥 웃고 떠들고 있었다는 거야. 거기서 화를 낸 사람은 서구인인 저자밖에 없다는 거야. 남을 결코 비판하지 않고 자기 잣대로 남을 몰아세우지도 않는 이 사람들, 남의 행위를 있는 그대로 흡수해 버리는 이들, 이런 사람들 사이에 심각한 트러블이 있을래야 있을 수가 없을 거야.

그에 반해서 우리가 사는 모습은 어떤가? 상대의 하는 양이 자기 기준에 맞지 않으면 갖은 비판과 욕설을 서슴없이 해 대고, 심지어 그를 매도하기 위해 중상모략도 서슴지 않고 있다. 사람마다 각기 나름대로의 대응 양식과 습관이 있을 터인데 우리는 왜 그것을 인정해 주지 못하는 것일까? 남성과 여성, 어른과 아이, 선배와 후배……, 이 둘 사이의 바이오리듬이 다 다른 데도 우리는 자기만의 기준으로 상대를 재단하고 있다.

나 역시 이러한 아집과 편견 속에서 괴로워한 날들이 수없이 많았지. "나이도 어린 놈이 저렇게 무례할 수가!" "저렇게 자기 입장만 내세우다니!" "흥, 숫제 안하무인이군!"

이런 불평과 불만으로 많은 시간 자신을 괴롭히고, 그럼으로써 주위의 분위기를 어색하게 만들곤 했다. 내가 무슨 도덕 선생처럼 아이들의 행위를 일일이 지적하는 것도 우스운 일이고, 못 본 척 살자니 속이 불편하고, 그러자니 자연히 사람들을 외면하고 혼자

있고 싶은 생각이 드는 기야. 이에 대한 지금까지 나의 처방은 "힘들지만 부딪쳐서 정면 대응하자."는 것이었다. 하지만 라다크 인들의 대응방식이 훨씬 차원이 높은 것임을 인정하지 않을 수 없구나. '상대방의 행위에 뭐이 그리 안절부절인가? 바보처럼, 바다 처럼 그렇게 받아 주어라!' 여전히 부족한 상태이지만 이러한 나의 깨달음을 노래한 시 한 편 들려줄까?

　　사람을 생긴 그대로 사랑하기가
　　얼마나 어려운지를
　　세상을 있는 그대로 보기가
　　얼마나 어려운지를
　　이제야 조금은 알겠다.

　　평화는 상대방이 내 뜻대로 되어지길
　　바라는 마음을 그만둘 때이며
　　행복은 그러한 마음이 위로받을 때이며
　　기쁨은 비워진 두 마음이 부딪힐 때이다.

　가엾게도 평화스러웠던 라다크 사회가 서구인들의 유입과 개방 정책에 의해 점차 파괴되어 가고 있다는구나.

　"주여, 저 가증스런 파괴 행위도 덤덤히 다 받아들여야 합니까!"

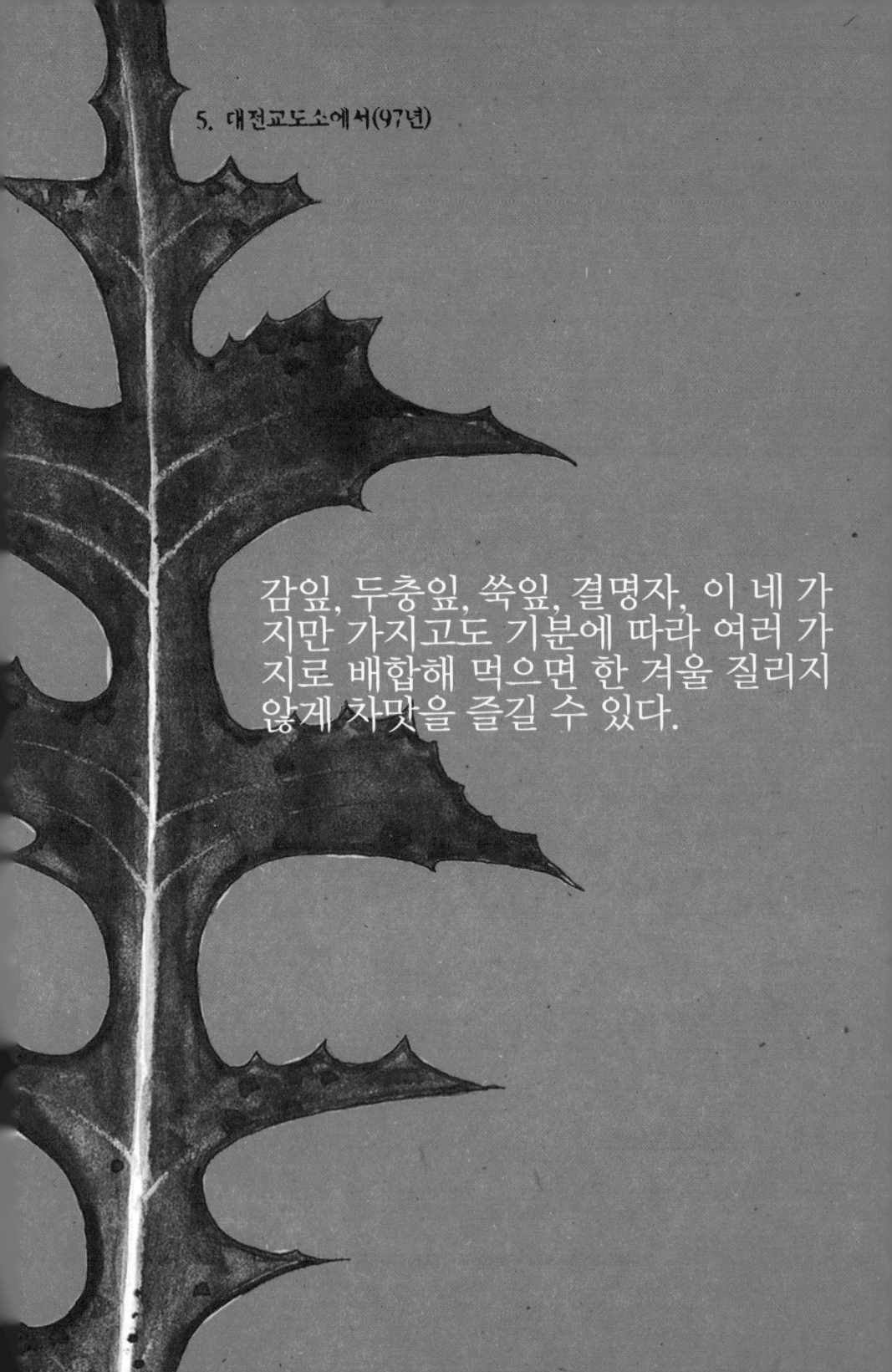

감잎, 두충잎, 쑥잎, 결명자, 이 네 가
지만 가지고도 기분에 따라 여러 가
지로 배합해 먹으면 한 겨울 질리지
않게 차맛을 즐길 수 있다.

대전교도소로 이감

선아, 벌써 대전으로 이감

온 지 한 달 반이 지났구나. 꼭 10년 만에 제자리로 돌아온 것이다. 그때는 첫 징역이라 잘 몰랐는데 한 바퀴 돌고 다시 와 보니 대전은 정말 큰 교도소이다. 대구가 도떼기시장이라면 이곳은 벌판에 세워진 수도원 같다. 분위기는 물론 훨씬 썰렁하지. 그러나 무엇보다도 공기가 맑고 넓은 마당에서 마음대로 농사를 지을 수 있어 좋다. 그리고 서울에서 면회 오기에도 가깝구. 사실 대구에서는 농사를 지을 수 없어 주로 그림 그리는 일에 몰두하였지. 이곳에는 먼저 와 있는 동료들이 이미 농사를 짓고 있어서 나는 그저 이들이 하자는 대로 따라하면 그만이다. 사동이 일반수로부터 완전히 격리된 넓은 부지에 자리하고 있어서 관행농사건 야초농사건 맘만 먹으면 얼마든지 할 수 있을 것 같은데 어째 신명이 나질 않는구나. 농사보다도 먼저 와 계신 분들과 관계를 트는 게 급선무이다.

이곳 생활은 아주 폐쇄적이라 하루 종일 혼자서 자신을 마주 대하고 있는 시간이 아주 많다. 적적함을 달래 보려고 부추밭을 매다가 마주친 청개구리 한 마리를 잡아 와서 콜라 병으로 아담한 집을 만들어 주고 동거를 시작했다. 청개구리는 내가 아주 좋아하는 동물이다. 손안에 쏙 들어가는 크기에 흠 없는 녹색 옷을 입고 있는 청개구리의 자태는 귀엽다 못해 고혹적이기까지 하다. 그런데 이놈의 식성이 보통 까다로운 게 아니야. 이놈은 사마귀처럼 살아 움직이는 생물이 아니면 쳐다보지도 않는다. 그러니 매일 살아 있는 먹이를 잡아 바치느라 고생이 이만저만이 아니다. 심지어 파리를 겨우 생포하여 놈에게 먹여 주다 실수하여 손에 힘이 들어가서 놈의 눈앞에서 배가 터졌는데도 안 먹더라구. 어찌나 성질나던지. 먹여 살리는 데 공이 너무 들어가고, 또 쓸데없이 징역 살리는 것이 안쓰럽고 해서 조만간 풀어 줄 작정이다.

위대(胃大)한 청개구리

날씨가 몹시 덥다. 오전에 비디오 시청하고, 오후에 운동하고 씻고 하다 보니 낮 시간이 후딱 지나가 버렸다. 사회 같으면 한 시간 안에도 여러 가지 일을 하고, 많은 사람을 만나 일 처리도 하지만, 여기선 정해진 한 가지 일로 반나절 또는 한나절이 그냥 가 버린다. 그만큼 시간에 대한 스트레스가 없이 산다. 오후 늦게 방에 들어오니 청개구리 놈이 배고프다고 눈을 떼굴떼굴 굴리는 거야. 엊저녁부터 아무것도 안 먹었거든. 급히 비닐 봉다리 하나 들고 복도로 나가 식량보급투쟁에 나섰지. 오늘은 운 좋게도 '왕거니'들이 단 몇 분 사이에 줄줄이 잡히는 거야. 먼저 왕파리. 상당히 큰 것인데도 꿀꺽, 아주 쉽게 먹데. 다음에 왕모기. 크기가 자기 몸통 길이만 한데 한 입에 덥석 무니 몸이 접힌 채로 그대로 꼴까닥! 하긴 녀석의 입이 이쪽 귀에서 저쪽 귀까지 쭉 찢어져 있으니……. 이번에는 좀 작은 나방 한 마리. 가볍게 꿀꺽! 조금 있다 문턱 언저리에서 왕거미를 발견해서 그것도 넣어 주었지. 거의 녀석의 머리통만 하고 또 금방 여러

마리 잡아먹었기 때문에 먹지 않을 줄 알았지. 그런데 조금 후에 쿠다당 소리가 나길래 얼른 보았더니 벌써 잡수신 거야. 어찌나 큰지 입에 물고 안 넘어가는 걸 억지로 삼키는데 튀어나온 눈알이 다 빠질 듯하더라구. 한참을 용을 쓰더니 드디어 꼴까닥 하고 목 뒤로 넘어갔어.

와, 정말로 위대(胃大)한 개구리데. 겨우 손가락 두 마디만 한 청개구리가 한번에 그렇게 많이 포식할 줄은 정말 몰랐다. 처음엔 녀석을 한 일주일 관찰하다가 방생하려고 했지. 하지만 녀석의 먹이를 낚아채는 모습이 어찌나 잽싸고 정확한지 보면 볼수록 예술 같다는 생각이 드는 거야. 어떻게 저렇게 자기 몸에서 멀리 떨어져 있는 먹이를 점프와 동시에 정확히 혀로 포착할 수 있는지……. 나의 눈엔 신기(神技)로밖에 보이지 않아. 혀로 먹이를 감아 올리는 장면은 너무 빨라서 육안으로는 잘 잡히지가 않는다. 카메라로 저속 촬영을 해야 제대로 볼까? 녀석의 예술을 감상하려고 좀 더 잡아 두어야겠다고 생각했다.

아, 이놈에 대한 재밌는 얘기가 하나 더 있다. 그러니까 그끄저께인데, 운동시간에 개구리 녀석 포식 좀 시켜 주려고 집(콜라 병)채로 들고 나갔지. 한낮이라 그런지 먹일 만한 게 별로 눈에 안 띄는 거야. 그때 마침 벌 두어 마리가 토끼풀꽃 위에 앉아 열심히 꿀을 빨고 있더라구. 일전에 방에서 개구리를 길러 본 일이 있는 옆방의 이 선생에게 물어봤더니 개구리가 벌도 먹는다는 거야. 침 때문에 괜찮냐고 물었더니, 뭐 따끔한 맛에 먹는다

나. 경험자에게 말도 들었겠다, 또 별다른 것도 안 보이기에 그 벌을 한 마리 잡아서 통 안에 넣지 않았겠니? 하루 하고도 반을 굶은 터라 녀석이 금방 달겨들더라구.

그런데, 으~ 이런 비극이! 혀를 낼름하고 입으로 덥석 물자마자 벌이란 녀석이 침을 쏜 거야. 개구리 혓바닥에. 앗 뜨거라! 하며 바로 뱉어 내긴 했는데, 눈꺼풀이 반쯤 감기는가 하면 비틀비틀하는 게 보통 충격을 받은 게 아니야. 벌은 벌대로 꽁무니가 엉망이 된 채로 기어 다니기에 꺼내서 밖에 내보내고 대신 파리와 모기를 잡아넣어 주었더니 입도 안 대는 거야. 심지어 파리가 콧잔등 위를 기어다녀도 꼼짝을 안 해. 침 맞은 혀가 마비된 거지. 공연히 경험자 말만 듣고 먹지 못할 것을 주었다가 생고생을 시키어 맴이 몹시 아팠단다. 사람도 벌에 쏘이면 꽤나 고생하는데 고 작은 개구리가 그것도 야들야들한 혓바닥에 벌침을 맞았으니……. 이틀 지나니까 풀리데. 혀가 풀리고 나서 오늘 그렇게 폭식을 한 거야. 한동안은 나를 불신해서 넣어 주는 먹이를 안 먹기도 했다. 안 먹었다기보다 내 앞에서는 안 먹더라구. 그러나 아침에 일어나 보면 없어. 내가 안 보는 사이에 먹은 거지. 지금은 다시 맛있는 것을 골고루 공급해 주니 넙죽넙죽 잘 받아먹고 있다. 방에 모기가 들어오면 때려잡지 않고 꼭 생포하여 녀석에게 상납하고 있단다. 그러다 보니 여간 품이 많이 드는 게 아니다.

수크령
가을 들판의 왕자

추석이 시작되는 일요일 아침 목욕하러 가는 길에 잔디밭 한 구석에 수크령이 한 무더기 멋들어지게 피어 있기에 한 줄기 꺾어 왔다. 네게 보여 주려고.

가을이 되기까지는 아무런 특징도 없이 뾰족한 잎만 수북히 내어 바람에 나부끼다가 때가 되면 일제히 장관을 연출하는 모든 볏과 식물들은 정녕 가을의 지배자라 하지 않을 수 없다. 수크령은 강아지풀을 두 배쯤 키워서 짙게 색칠해 놓은 것과 같다. 가을 들판에 우뚝 선 녀석의 자태는 와일드한 맛과 함께 고귀한 왕자의 풍모를 지니고 있어 어쩌다 마주치면 좀처럼 자리를 뜨기가 힘든 풀이란다.

덤덤하나 내밀한 기쁨도 없잖아 있는 추석 연휴를 보내고 있다. 연휴를 이용하여 밀린 일거리들을 하다보니 내리 갇혀 있어도 지루한 줄은 모르겠다. 어제는 흐려서 달도 못 보았는데 오늘은 볼

수 있으려나? 지난
번 치료받은 치아는
아직 보철 공사 중이
라 온전치는 않으나 병
원에서 임시 플라스틱 보
철을 붙여 주어 아쉬운 대
로 추석 음식을 맛보고 있
지. 징역에 무슨 특별한 명절
음식이 있겠냐마는, 그래도 명절
이라고 이것저것 챙겨서 먹는 것
이지. 철마다 앞마당에서 자라는
풀과 야채로 물김치를 담가 먹는데
요즘은 고구마순 물김치를 계속 담가
먹고 있단다. 사각사각 씹히는 맛이 상큼
한 게 그만이란다. 다른 건 몰라도 나의 물
김치 담그는 솜씨만은 밖에 나가서 자랑해도
좋을 듯싶다.

방안에 앉아서 차려주는 음식을 받아먹기만 할
때는 잘 몰랐는데, 직접 농사를 지어서 스스로 조리
까지 해서 밥을 먹으니 새삼 먹는다는 행위 하나하나
가 엄청난 일인지 실감한다. 5~6개월을 애지중지 길
러서 맛있게 조리해 놓으면—특히 고구마순의 경우는

껍질을 벗기는 데 엄청난 시간과 노력이 든다—먹는 데는 고작 10분 남짓. 고 10분 동안의 미각을 충족시키기 위해 그 오래고 정성이 깃든 과정이 필요했던 것이다. 평생을 부엌과 텃밭에서 일하셔야 했던 우리 어머님들의 인고와 희생이 단지 남성 중심주의를 강화하는 데에 기여했다면 그것처럼 비극적인 것이 없다. 말없이 그것을 견뎌 낸 여인들의 깨달음의 깊이를 지아비들은 도저히 넘겨다 볼 수 없을 것이거늘, 손에 물 묻히는 행위를 미안해하기커녕 수치스럽게 여기는 풍조가 여전히 막강하니 개탄스러울 뿐이다. 특히 추석이나 설 같은 명절 때에 우리 여인들의 고달픔은 식구들의 웃음소리에 반비례할 뿐이지. 내가 가정에 복귀하면 필히 이것부터 바로잡으리라고 단단히 마음먹고 있지만, 오랜 세월 굳어진 습관이라 하루아침에 고쳐지리라고 기대하지는 않는다.

추석날 오후에 식구들이 한자리에 모여 담소화락하는 모습을 그려보다가 엉뚱하게도 가정개혁(?)으로 비약하고 말았구나. 네게도 즐거운 추석이길 빈다.
내년엔 정말로 얼굴 맞대는 추석이 되길 간구하며 이만 줄인다.

 두감쑥차

이 펜 기억나니? 작년에 네가 보내온 것이지. 어딘가 깊숙이 박혀 있다가 오늘 튀어나왔네. 오후 느지막한 시각 따끈한 차 한 잔을 끓여 손바닥에 굴리면서 이 편지를 쓰고 있다. 예전에 안동에 있을 때에도 내가 특수 재배한 야생초차에 대해 얘기한 적이 있지만 여기 대전교도소에서는 차원이 한 단계 높아졌단다. 땅바닥에서 채취한 것만이 아니라 나무에서 채취한 것들도 섞어 만든 것이다. 지금 마시는 것은 두감쑥차. 이름 그대로 두충잎과 감잎, 그리고 쑥잎을 그늘에서 바짝 말려 가루를 낸 뒤 고루 섞어 만든 차이다. 세 가지 다른 성분이 묘하게 배합되어 나는 맛이 한 가지로만 해서 우려먹는 것보다 훨씬 입맛이 당긴다.

차 우리는 주머니를 만들려고 어쩔 수 없이 멀쩡한 원주표 런닝(교도소 지급품) 하나를 찢어야 했다. 올 겨울을 나기 위한 차 마련은 충분히 갈무리해 두었지. 차뿐 아니라 묵나물로 해 먹으려고 질경이와 쇠비름도 많이 뜯어다 바짝 말려 놓았고, 늙

은 호박도 몇 덩이 오려서 말려 놓았지. 차는 두감쑥차 외에 결명자를 많이 거두어 놓았다. 봄에 씨를 얻어다 담 밑에 심었더니 얼마나 잘 자라는지 열매가 광주리 하나 가득이란다. 맛이 팥내가 좀 나는 듯한 게 구수하고 아주 좋아. 감나무는 우리 사동에 없지만 병사 마당에 있는 것을 좀 얻어 왔구, 두충잎은 목욕하러 왔다 갔다 하면서 취사장 마당에 있는 나무에서 따온 것이란다. 두충나무가 흔한 것이 아닌데 이곳 대전교도소에는 여기저기 눈에 띄네. 쑥은 봄부터 가을까지 꾸준히 따서 말려 둔 게 있고. 때때로 생즙을 내어 먹기도 하지. 감잎, 두충잎, 쑥잎, 결명자, 이 네 가지만 가지고도 기분에 따라 여러 가지로 배합해 먹으면 한 겨울 질리지 않게 차맛을 즐길 수 있다.

나는 성격이 게을러 그런지, 아니면 천성이 그런지 지나치게 깔끔하고 인공적인 것을 별로 좋아하지 않는다. 농사도 그래. 원래부터 자연농을 추구하고자 한 것은 아니었는데 나도 모르게 자연스레 그러한 경향으로 흘러가는 것이야. 사실 우리 사동에 농사의 주책임자는 강희철 씨인데 이미 내가 오기 전에 밭을 일구어 놓았더라구. 예서 농사지은 지 벌써 몇 년째인데 나하고는 농사스타일이 안 맞아 그다지 재미있는 것은 아니다. 나는 야채를 먹을 수 있는 야생초의 한 부류 정도로 생각하고 있는 데 반해 강씨는 오직 야채주의이기 때문에, 한 포기 야채를 생산하기 위해 다른 모든 것을 희생하는 농법을 쓰거든. 그리고 그 야채만을 다량으로 먹구. 나는 어떤 식이냐 하면, 밭과 마당에 나는 각종 풀들을 기분에

248

따라 뜯어 먹으면서 그 사이에 야채를 곁들이는 식이지. 그러니 밭에 난 냉이나 씀바구, 비름 같은 것들을 그대로 두려고 하지. 그러면 어느새 강씨가 다 뽑아 버리는 거야. 안동에서 이 선생님과 겪었던 갈등을 여기 와서 반복하는 거지. 그러니 자연히 나는 야채만을 키우기 위해 밭 매고, 거름 주고 하는 부지런 떨기와는 멀어지게 되고, 그것이 강씨의 불만이 되는 거야. 그래서 여기서는 되도록 그의 농법에 따라 주고 나는 따로 챙겨 먹는단다.

이담에 사회에 나가면 나는 농사를(내다 팔 것이 아니라 자급자족용으로서의) 이렇게 지을 것이다. 공터를 몇백 평 마련하여(야산이 끼어 있으면 더욱 좋고), 봄에서 가을까지 계속하여 야채와 식용 야생초 씨앗을 뒤섞어서 마구 뿌리는 거야. 물론 대부분의 야생초는 씨를 뿌리지 않아도 제멋대로 나겠지만 특별히 보호가 필요한 것도 있다. 예를 들어 특정 풀이 지나치게 번식하여 다른 것들의 성장을 방해하면 제거해 주어야 하고, 질경이의 경우 땡볕에서 난 것은 너무 질기므로 그늘에서 키울 필요가 있고, 어린 잎만 먹는 것을 위해선 씨를 계속 뿌려 주어야 하는 등 나름대로 '관리'가 필요하거든. 이 밭에서 야채는 그저 풀 중의 하나일 뿐이다. 이렇게 자연농법으로 하면 다양하고 신선한 야채를 연중 끊임없이 공급받을 수 있다. 최소한의 노력으로 말이지. 이 좋은 방법을 놔두고 왜 그리 맛없는 특정 야채만을 배타적으로 키우기 위해 난리를 피워야하는지 나로서는 이해가 안 가. 그들은 나더러 괴상한 사람이라 하지만…….

이와 마찬가지로 정원을 꾸미는 데도 잔디밭을 말끔히 손질하여 기하학적 도형을 만든다든지, 나무에 전지를 하여 무슨 모양을 만든다든지 하는 따위는 질색이야. 풀이든 나무든 인간과 더불어 사는 데 있어 서로에게 불편을 줄 정도로 비대해지거나 균형을 잃을 때 외에는 인공적으로 손대는 것을 피해야 한다는 것이 내 지론이다. 동양 3국 중 한국의 조경미학만이 이러한 자연미를 가장 소중히 여기고 있다는 것이 내게 큰 위안이란다.

가을 운동회

오늘 교도소에서 가장 큰 행사를 치렀다. 가을 운동회.

원래는 봄, 가을 한 번씩 했는데 문민정부 들어서서 번거롭고 비용 많이 든다고 일 년에 한 번으로 줄여 버렸단다. 문민정부 들어 줄어들거나 없어진 게 이것만이 아니다. 우리 공안수의 경우 사회참관도 봄, 가을 두 차례에서 한 차례로 줄어들고 가족 접견도 없어졌다. 바깥 세상은 모르겠으나 감옥은 지난 5년 동안 확실히 나빠졌다(처우 면에서). 그건 그렇고 여기 대전교도소에서 운동회는 처음인데, 재소자들이 상당히 준비를 많이 했더라고. 어느 교도소나 프로그램은 대동소이하지만 이곳은 특히 문화행사 ─ 운동 경기 전에 펼치는 가장행렬 등 ─ 가 풍성하구나. 게다가 외국인 수용자들도 상당히 있어서 이네들도 온갖 야스런 복장을 하고 나와서는 신나게 흔들어 대는 게야. 나이지리아 출신의 한 검은 친구는 조선시대 포도대장 복장을 하고는 으스대며 걸어다니는데 어찌나 우습던지. 그 친구가 이담에 고향에 가면 이렇게 허

251

풍을 떨지도 모른다고 우리들끼리 얘기했지. 한국에 가서 도둑놈들 군기 좀 잡다 왔노라고. 오늘 볼거리 중 제일 웃기면서 측은했던 것은 인쇄공장에서 준비한 토끼와 거북이 놀이였는데, 거북이 복장을 한 이가 얼마나 고생을 하는지 보기가 딱하더라고. 등에 널찍한 거북등을 매달고 온몸은 수분 흡수가 전혀 안 되는 검은 침낭으로 감싸고 한 시간 내내 운동장 바닥을 네 발로 기어다녔으니 — 그것도 비가 안 와서 흙먼지가 풀풀 날리는 — 얼마나 고통스러웠겠어? 나중에 거북이가 쉬러 응원석 뒤로 와서 옷을 벗는 것을 보았는데, 세상에, 나이도 많은 사람이 그 고생을 한 거야. 온몸이 땀으로 목욕을 했더라고. 그 친구 기어다니느라고 땅만 쳐다봤지 운동회 구경은 하나도 못하고……. 오후에는 또 거북이가 나와 돌아다니기에 물어봤더니 젊은 사람으로 교체했다나?

사실 예전엔 일 년에 두 번 운동회 준비하고 행사 치르다 보면 한 해가 갔지. 공장 단위로 점수를 매겨 상을 주는데 경쟁이 어찌나 치열한지 각 공장 반장들은 신입이 들어오면 우수한 운동선수를 먼저 빼갈려구 갖은 노력을 다 하지. 운동회 즈음해서는 연습이다 예선이다 해서 공장 작업에 차질도 많이 생기고. 운동회가 한 번으로 줄어든 것은 정부에서 수용자의 노동력을 적극적으로 활용하고자 하는 의도에서 그리된 것 같아. 실제로 운동회가 줄어든 때부터 수용자들의 노동 강도가 강화되기 시작하였고, 또 교도소 근처에 민간 기업에 의한 공장을 세워서 수용자들을 통근시켜 일하게 만들었으니깐.

그것이 다 요 몇 년 사이의 일이지. 아마도 노동 집약적 산업들

이 중국 능지의 진출로 인하여 국내에서 수지를 맞출 수 없으니까 그 돌파구를 찾은 것이 공장의 해외 이주이거나 노동력이 해외만큼이나 싼(거의 공짜) 수용자 노동력의 적극 이용으로 나타난 모양이야. 중국이 수인들에 의한 저임 노동으로 인해 국제 사회에서 비난을 받고 있는데 우리나라도 그런 소리나 듣지 않을까 우려가 되는구나. 사실 이 안에서 만드는 것 중 수출되는 것이 많다고 하거든. 사회 전체가 이렇게 경제 논리에 의해서 점점 타이트하게 조직되어 가니 기존의 다소 낭만적이고 문화적인 생활양식들이 점차 사라져 가는 느낌이야. 대신 물질은 풍부하니 먹는 것, 입는 것 따위를 고급으로 해서 문화적 상실감을 대신하는 거지. 이 현상이 너무도 뚜렷이 보이는구나. 운동장에 나와서 목에 힘깨나 주고 다니는 사람들(주로 공장 반장이나 간부) 복장이나 장신구를 보면 대번에 알 수 있지. 이것이 발전인가? 발전은 발전이지. 옛날에 비해서 두 배로 바빠지고 머릿속에 쌓이는 스트레스도 곱으로 늘어나고 자신이 무엇 때문에 사는지 되돌아볼 여유가 더욱 없어져서 탈이지.

확실히, 무한 경쟁의 세계화를 외치고 난 이후, 교도소 생활도 경쟁이 심해지고 빡빡해진 건 사실이야. 자본주의는 세계화를 이룬 가장 경쟁력 있는 제도이지만 비인간적이라는 것이 문제야. 태생적으로 비인간적인 교도소의 관료주의가 세계화 구호를 외치게 되면 어찌 되겠어? 그 결과의 하나가 운동회 폐지로 나타나는 거지.

비둘기의 자식 사랑

오랜 가뭄 끝에 내린 은혜로운 비였다. 촉촉이 젖은 대지 위로 파릇파릇한 풀들이 더욱 싱그럽게 보인다. 자욱한 안개와 함께 봄이 아닌가 착각이 들 지경이다. 엘니뇨 현상 때문에 올 겨울은 따뜻할 거라고 하였는데, 이러다가 내년 농사가 잘못되지나 않을까 우려된다. 하긴 징역살이하는 우리에겐 다행스런 일이지만.

어제 운동장에서 가벼운 운동을 하던 중 도둑고양이를 보았다. 담벼락 밑 풀더미 속에 숨어 있다가 발견되었는데, 한번 안아 보려고 잡으러 갔더니 얼마나 날쌘지 도저히 따라잡을 수가 없더군. 새까만 몸에 윤기 나는 털, 번득이는 노란 눈동자가 아주 매혹적인 고양이다. 밤이면 마당에 나타나서 '냐옹~' 울어 대며 어슬렁거리곤 했는데, 이렇게 가까이서 보기는 처음이다. 사동 뒤꼍에 가 보면 비둘기 날갯죽지 따위가 어지럽게 흩어져 있는데 모두 이 놈이 잡아먹고 버린 거다. 잔해로 보아서 한 대여섯 마리는 되는 것 같은데, 얼마나 깨끗하게 먹었는지 뼛조각 하나 보이지 않는

다. 어디다 따로 붙어 두는 건지도 모르지.

우리 사동을 거주지로 삼고 날아다니는 비둘기가 아주 많다. 어찌나 많은지 시끄러울 정도다. 대개는 사동 건물의 환기통에 집을 짓고 사는데, 낙오자가 상당히 자주 생긴다. 날지도 못하는 새끼가 환기통에서 떨어지거나, 아예 알이 굴러 떨어지기도 하지. 어떤 때는 다 컸지만 잘 날지 못하는 놈이 땅에 내려앉아서 마냥 걸어다니기만 한다. 이 모든 낙오자들이 고양이에게는 식량이 되는 셈이야. 그러구 보면 하느님은 참 공평하셔. 비둘기가 포화 상태에 이르자 낙오자를 만들어 고양이 먹이를 마련해 주시는 거 봐. 뿐만 아니라 지상의 고양이는 비둘기가 계속해서 건강한 상태를 유지할 수 있도록 도와주는 자극제 역할을 하지.

나는 처음에 비둘기 새끼가 자꾸 낙오되어 버려지는 걸 보고, 비둘기란 놈은 새끼에 대한 정이 없는 동물이구나 하고 쉽게 생각했었다. 가령 새끼 참새가 낙오되어 사람이 잡으려 하면 어미 참새가 친구들을 데리고 그 근처까지 바짝 날아와서 짹짹거리며 난리를 치는 거야. 그러나 비둘기는 그냥 멀리서 바라보기만 하지. 사실 자세히 들여다보면 비둘기와 참새의 위기에 대한 대응 양식이 다른 것이지 비둘기가 정이 없는 것은 아니야.

비둘기는 방정 떠는 대신 아주 끈질기고 사려 깊게 자식을 돌본다. 새끼 비둘기는 우리 눈으로 볼 때 몸도 완전히 숙성하고 저 혼자 훨훨 날아다닐 수 있을지라도 어느 시기가 되기까지는 제 입으로 먹이를 먹지 못한다. 어미가 일일이 멕여 주어야 하지. 어미의 보호를 받는 기간이 다른 새들보다 더 긴 것 같아. 그러니 자식에

대한 사랑이 끈질길 수밖에. 한번은 내 방 옆의 환기통에 사는 비둘기가 아침저녁으로 하도 시끄럽게 울어 대기에 도저히 공부할 수가 없어서 환기통을 밖에서 빈 콜라 병으로 막아 버렸다. 다른 데다 둥지를 틀려나 해서였지. 그런데 이놈의 비둘기가 한시도 떠나지 않고 그 막힌 환기통 주변을 날아다니는 거야. 며칠이 지난 후에 이상한 기분이 들어 다시 올라가서 콜라 병을 들어내니 그 안에 새끼가 들어 있지 않겠어? 날려 보내고 다시 구멍을 막았지.

자식에 대한 사랑이 이렇게 극진한데도 불구하고 낙오자가 많이 생겨나는 것은 개개 비둘기의 무정함이나 실수라기보다 비둘기 군체 전체가 환경에 적응하기 위한 적정한 개체 수를 유지하고자 자연스럽게 이루어지는 도태가 아닌가 싶어. 진화론으로 말하자면 자연도태지. 이것이 고양이의 먹이사슬로 연결되구 말이지. 이 고양이가 많아지면 어떻게 되냐구? 우리 재소자들이 잡아먹지. 이렇게 자연계의 먹이사슬은 꼬리에 꼬리를 물고 연결된다. 사실 어제 내가 고양이를 막 뒤쫓다가 놓치니까 옆방의 이씨가 몹시 서운한 눈초리로 쳐다보더군. 자기가 요새 허리가 아파서 고양이를 한 마리 잡아먹고 싶다고 중얼대면서 말이지.

오늘 새벽에 앞마당에 '냐옹' 소리가 나길래 어제 그놈인가 싶어서 자다 말고 일어나 내다보았더니 어제 본 놈이 새끼였나 봐. 저보다 훨씬 큰 시꺼먼 어미 고양이와 함께 다정스레 함께 걸어가고 있더라구. 까만 고양이 母子가 저쪽으로 사라져 갈 때까지 내다보면서 이렇게 중얼거렸지. "그래, 부디 죽지 말고 오래오래 살

거라. 이 담벼락이 허물어지는 그날까지!"

아버님 건강이 요즘 어떠신지 궁금하다. 운동을 좀 하셔야 할 텐데. 우리는 언제까지 그 공기 나쁜 장안동에서 살아야 하는 건지 모르겠다. 언젠가 부모님 모시고 식구들 모두 전원에서 살아가는 모습을 꿈꾸어 본다.

십전대보잼

"맛있다!"

이렇게 맛있는 간식을 너도 먹어 본 일이 있을까? 일요일 오후 입안이 심심한 시간. 비스킷 위에 잼을 한 숟갈 얹어 바스락거리며 먹고 있다. 그동안 맛없는 과자만 팔다가 얼마 전부터 '구운감자' 라는 아주 가볍고 부드러운 비스킷을 파는데 조금 팔다가 또 중단되었다. 아, 좀 많이 사 놓을걸. 물론 과자만 먹어도 맛이 좋지만 거기에 얹어 먹는 잼이 보통 잼이 아니란다.

이름하여 '십전대보잼'. 한약 이름을 잠깐 빌렸다. 무려 십여 가지 재료를 넣어 졸이고 졸여 만들었거든. 요즘 엘니뇨가 뭔가로 날이 푹해서 겨울답지 않게 땅이 물렁물렁해. 그래서 지난주에 삽을 들고 나가 민들레 뿌리를 캤지. 겨울이라 살이 통통한 게 뿌리가 아주 굵고 길어. 어떤 것은 굵기가 엄지손가락만 하고 길이가 내 한 팔 뻗은 것보다 더 긴 것도 있어. 이렇게 민들레 뿌리를 한 광주리 캐다 보니 곁들여 냉이, 도라지, 시금치 뿌리도 캐게 되었다. 처음엔 이것으로 뿌리된장국을 끓여 먹으려다가 양이 너무 많

258

아서 가지고 있는 것을 다 넣고 푹 고아서 잼을 만들어야겠다는 생각이 들었다. 그래서 거기다가 고구마, 호박, 마늘, 사과, 인삼 가루(누가 약으로 먹으려고 산 캡슐을 얻어다 넣었음) 등 열 가지 농산물을 넣고 무려 5일 동안 뭉근히 졸여서 세상에 둘도 없는 잼을 만들었다는 것 아니냐. 이것 만드느라 온갖 눈치 다 보고 난로 안 쓰는 시간에 짬을 내어 계속 붙어 서서 주걱으로 휘젓고 한 고생이라니!

이렇게 만든 잼은 사동의 동료들에게 보약처럼 먹으라고 골고루 나누어 주었다. 사실 지금 내가 사동에서 요리 담당을 맡고 있다. 어찌하다 보니 그리되었다. 징역 요리는 뭐 별 거 없다. 그냥 짬밥으로 남은 반찬과 국 등을 한꺼번에 넣고 푹 끓이면 그만이야. 여기다 밥을 넣고 끓이면 국밥이 되고, 물을 많이 넣고 끓이면 국이 되고, 건더기를 많이 넣고 끓이면 전골이 되고, 거기에 컵라면 부셔 놓으면 전골사리가 되는 것이지.

선아, 이담에 내가 나가면 교도소 음식을 메뉴로 하는 식당을 하나 열려고 하는데, 어때, 히트 칠 것 같지 않니? 일단 빵에 다녀온 사람들은 추억에 잠겨 올 것이고 일반인들은 호기심으로 찾아올 테니까. 그때 네가 첫 손님이 되어 평을 해 주길 바란다.

이 글은 2001년 12월 8일 대구 가톨릭근로자회관에서 열린 '녹색평론 창간 10주년 기념모임'의 기념강연으로, 《녹색평론》 제62호(2002년 1-2월호)에 실렸다.

뿌리내리기

　안녕하십니까? 방금 소개받은 황대권입니다. 아까 앞에서 채규철 선생님이 말씀하시는 도중에 자신을 알아보지 못하면 간첩이라고 했는데, 제가 그래서 간첩이 된 사람입니다. 여러분도 정말 조심해야 합니다.(웃음) 사실 저로서는 이런 자리에 한번도 서 본 바가 없고요, 다만 혼자서 이런 궁리, 저런 궁리 하다가 세월을 보낸 사람입니다. 제가 이런 자리에 설 자격이 없음에도, 처음에는 당황했다가 결국 서게 된 것은 저 역시 《녹색평론》의 열렬한 독자로서 여러분과 얘기를 나눠 볼 수 있겠다, 이런 생각으로 만용을 부리게 되었습니다.

　오늘 강연 제목이 '뿌리내리기'인데, 누가 지었는지 모르겠지만, 참 잘 지었다고 생각했습니다. 저보고 강연 제목을 뭐라고 했으면 좋

겠냐고 물었는데, 사실 제가 대학 이후 지금까지 한가지 전공이 없습니다. 워낙 잡스럽게 공부한 사람이라서, 제가 무슨 주제를 가지고 강연을 해야 할지 딱 부러지게 말씀을 못 드리겠더라고요. 그래서 《녹색평론》에서 알아서 붙여 달라 했더니 '뿌리내리기' 라는 제목을 붙여 줬어요. 아마도 제가 세상에 나와서 새롭게 뿌리내리기를 시도하는 사람이니 겸사겸사 해서 그렇게 붙인 모양입니다. 이 제목을 받고 나서야 아, 내가 무슨 얘기를 해야겠다 하고 생각을 하게 되었습니다.

뿌리내리기 하면 먼저 생각나는 것이 풀뿌리입니다. 그리고 풀뿌리 하면, 잡초, 이런 것이 생각나서 오늘 제가 잡초를 주제로 해서 생태문제랄까요, 생태주의 운동에 대해서 말씀드려 보겠습니다. 그리고 끝에는 잡초에 대한 우리 관념을 어떻게 가지고 생태주의 운동을 펼쳐 나갈 것인가, 그 연관관계를 살펴보도록 하겠습니다.

이 얘기를 하기 전에 제가 사실 여러분에게 너무 생소한 사람이라서 간단히 제 소개를 하겠습니다. 저는 원래 농대를 졸업했지만, 유신시대 때 사회상황이 그랬듯이 유신철폐운동 하고 반정부투쟁 하고 이러다 정치문제에 관심을 갖게 되었고, 전두환 쿠데타 이후에 미국으로 정치학을 공부하러 갔어요. 미국에서, 주로 제3세계 정치학, 제3세계 혁명론, 이런 것을 공부하다가, 1985년에, 전두환 시절이죠, 안기부에서 조작한 '구미유학생 간첩단 사건' 에 연루되어서 무기징역을 선고받았어요. 그 당시 저와 같이 공부했던 한 친구가 귀국할

때 평양을 방문하는 바람에 그 친구하고 같이 있었다, 같이 토론을 하고 그랬다, 이래 가지고 안기부에 끌려가서 갖은 고문을 받은 끝에 간첩으로 조작되어 그런 형량을 받았습니다.

사람이 태어나게 되면 첫돌 잔치 때 아기 앞에다 물건들을 놔두고 처음 집는 것을 보고, 아 이 애가 이담에 뭐가 되겠구나 이런 것을 짐작한다고 합니다. 어린애가 가령 지폐를 집으면 이 아이는 이담에 큰 상인이 되겠구나, 연필을 집으면 이 아이는 큰 학자가 되겠구나, 이런 이야기를 하는데, 그게 상당히 맞는 것 같아요.

제가 군대를 79년도에 제대했는데, 제대하고 처음으로 읽은 책이 파울로 프레이리의 《페다고지》라는 책이었어요. 이 책이 제가 미국 유학갈 때까지 저의 사고와 행동을 사로잡았던 책이었습니다. 그리고 82년도에 미국 유학을 갔어요. 정치학을 공부하러. 그때 미국에 가자마자 첫 번째로 읽은 책이 카스트로의 책입니다. 젊은 카스트로가 청년동지들을 이끌고 몬카다 병영을 습격하고 나서 법정에 끌려갔을 때 법정에서 한 최후진술 제목이 "역사는 나를 용서할 것이다"였는데, 바로 그 최후진술을 담은 책이었어요. 이 책이 한 3년 가까이 되는 미국유학 기간 동안 저의 생각과 활동을 지배했습니다. 그후 소위 반제(反帝)운동이라 그럴까요, 그런 데 관심을 갖고 공부하고 활동하다가 결국 징역까지 살게 되었는데, 그렇게 무기징역을 살다가 정권이 바뀌는 바람에 13년 2개월 만에 세상에 나왔습니다. 감옥 안에서 많은 변화를 겪고 나와서 시골에 내려가 농사를 짓던 중, 오

랫동안 저의 석방운동을 하여 준 앰네스티 인터내셔날, 즉 국제사면위원회에서 초청장이 날아왔어요. 그래서 유럽에 가서 세상구경도 하고, 간 김에 평소에 하고 싶었던 공부도 좀 하고 이러고 돌아온 지가 한 달 반쯤 됐습니다. 제가 이번에 영국에 주로 있었는데요. 영국에 가자마자 읽었던 첫 번째 책이 뭐냐 하면 여러분도 잘 아시는 장 지오노의 《나무를 심는 사람》이었습니다. 저는 이 책이 앞으로의 저의 남은 생애를 지배할 그런 책이라고 생각하고 있습니다.

농업의 산업화, 생물종 다양성의 파괴

오늘 얘기할 것은 잡초인데요. 잡초란 무엇이냐, 그리고 잡초에 대한 생각을 우리가 어떻게 갖느냐에 따라서 이 세상을 바꿀 수가 있다, 이런 말씀을 드리고 싶습니다. 잡초를 한자로 풀면 '잡스러운 풀'이 됩니다. 학술서적을 뒤져 보면 영어로는 정의가 수십 가지가 나와요. 그중에서 가장 대표적인 정의를 한두 가지 들어보면, '원치 않는 장소에 난 모든 풀들', 또는 '잘못된 자리에 난 잘못된 풀' 대개 이렇습니다. 이것은 풀에 대한 철저히 인간 중심주의적인 정의입니다.

"내가 심은 것은 작물이고, 내가 길러 먹을 것 또한 작물이다. 너는 내가 길러 먹을 작물의 영양을 빼앗아 먹고, 재배하는 데 방해만 되니 하등 쓸모가 없는 풀이다. 그러므로 너는 나의 이해와는 상반되는 적이다. 내가 살기 위해서 미안하지만 너는 모조리 죽어 주어야겠다."

이것이 오늘날 농사짓는 사람들의 일반적인 마음이라고 볼 수 있어요. 그래서 잡초를 제거하기 위해 뽑고, 베고, 약을 치고, 태우고, 하여튼 할 수 있는 모든 짓을 다 합니다. 이런 농업행태는 적어도 20세기 중반에 농업이 산업화되기 전까지는 별다른 문제가 없었습니다. 힘이 좀 들어서 그랬지. 그러나 산업화된 농업에서는 잡초를 박멸하기 위해 엄청난 양의 농약을 뿌려 대기 시작했습니다. 그 결과 어떠한 일이 벌어졌습니까? 제가 긴 얘기 안 해도 유명한 레이첼 카슨 여사가 쓴 《침묵의 봄》이라는 책에 아주 잘 나와 있죠. 농약을 쳐서 잡초를 제거한 결과 모든 풀과 식물들이 사라지고 그 풀씨를 먹고 살아가는 야생동물과 새들이 다 죽어가고 결국 지상에서 새의 노랫소리가 사라진다 이런 이야기입니다. 이것은 소설 같은 이야기가 아니고 실제로 전세계 도처에서 일어났고, 지금도 그 일이 벌어지고 있어요.

예를 들면 미국 같은 나라는 1952년까지만 해도 경작지의 10% 정도만 제초제를 쳤다고 합니다. 그런데 오늘날 경작지의 90% 정도가 농약을 치고 있습니다. 잘 생각해 보세요. 그 어마어마한 넓은 땅에 농약을 그렇게 뿌려 대니 그게 다 어디로 가겠습니까? 결국은 다 우리 입속으로 들어오는 것이죠. 그런데 농약을 쳐서 잡초를 제거하는 것은 아까 말한 환경오염이라든지 혹은 식품오염이라든지 이런 거 못지 않은 더 중요한 문제가 있는데, 이것이 바로 생물종 다양성의 문제입니다. 제가 생태학을 접하면서 가장 몸서리를 치면서 공부한 부분이 바로 이것입니다. 지구상에 생물종이 현저하게 사라져 가고

있다는 것입니다. 그런데 그 가장 주된 원인이 농업에 있어요. 아까 잡초 이야기를 했지만 사실 이 땅의 주인은 식물입니다. 지구상에 이렇게 동물들이 살 만한 조건을 만들어 준 게 식물입니다. 그런데 인간들이 어느날 딱 나타나서는 야채를 심어 놓고 원래 주인인 풀들을 다 쫓아냈어요. 풀만 쫓아낸 것이 아니라 그런 풀들을 먹고사는 온갖 짐승들, 생물들을 다 쫓아냈습니다. 그 결과 이 지구상에 생물종들이 현저하게 사라져 가고 있는 것입니다. 보고에 의하면 하루에도 몇백 종씩 사라져 가고 있다고 합니다.

제가 영국에 있으면서 가장 부러웠던 것 가운데 하나는 새들이 그렇게 많다는 거였어요. 새들 종류도 많습니다. 조금 호젓한 시골집 같은 데서 자면요, 아침에 늦잠을 잘 수가 없어요. 새들 때문에 시끄러워서요. 얼마나 지저귀는지 일어날 수밖에 없습니다. 그런데 영국에서 나오는 학술지를 보니, 제가 보기엔 그렇게 새가 많은데도 전전 (戰前)에 농약을 쓰기 전하고 비교하면 종류가 절반으로 줄어든 거라고 합니다. 지금 우리나라 보세요. 제가 어렸을 때만 해도 — 그때 저는 서울 변두리에 살았지만 — 참새, 까치부터 시작해서 온갖 새들이 참 많았어요. 주로 토종 텃새들이었죠. 그런데 지금은 그 새들을 거의 볼 수가 없습니다.

이런 새나 온갖 야생동물들뿐만 아니라, 심각한 문제 중 하나가 작물의 종 수가 줄어들었다는 것입니다. 예를 들면 인도 같은 나라에서는 농업이 산업화되기 전에 벼의 종자 수만 한 3만 종 가량 재배되

266

고 있었냐고 합니다. 그런네 녹색혁명을 서져서 요즘 재배하고 있는 벼의 종류가 겨우 12가지밖에 안 된다고 합니다. 그 많은 종이 다 어디로 갔어요? 종자라는 것이 한 해 심지 않으면 그 다음부터는 그 씨를 구할 수가 없습니다. 계속적으로 재배를 해야 합니다.

이렇게 된 원인이 바로 농약을 뿌리는 농사, 단작(單作)에 의한 농사 때문에 그렇습니다. 이것이 하나의 거대한 사회시스템, 즉 자본주의 시스템하고 맞물려 있습니다. 즉 요새 말하는 '슈퍼마켓 시스템'이죠. 슈퍼마켓이라는 곳은 품종의 다양성과는 상관없이 무조건 잘 팔리는 물건만 갖다 놓습니다. 물건이 잘 안 팔리면 가차없이 주문을 끊어 버립니다. 시장에서 주문을 안 하면 농민들이 생산을 안 하게 됩니다. 생산을 안 하면 어떻게 되겠습니까? 단종되는 것이죠. 제가 영국에 가서 놀란 것이, 영국이 추운 나랜데 슈퍼마켓에 들어가니까 상품이 무지무지하게 많아요. 저 열대지방에서 나는 것부터 다 있어요. 그리고 영국에서 생산된 것들만 해도 상품 종류가 어마어마해요. 그런데 이것을 가만히 들여다보면 식품가공산업이 발달한 것이지 작물의 종이 늘어난 게 아니에요. 작물의 종은 현저하게 줄어들었어요. 우리가 산업농을 하기 전까지만 해도 시골의 농부들이 일 년 동안 농사지어서 먹고, 채취하고, 이용하고 한 것이 100여 종에서 300여 종됐다고 그래요. 식물종으로 인간이 먹고 이용하고 한 것이 말이지요. 그런데 오늘날 슈퍼마켓 중심으로 돌아가는 상품시스템을 보면 우리들이 먹는 야채종류가 20여 가지를 넘지 않아요. 겨우 20여 가지도 안 되는 것들이 슈퍼마켓에 있는 90%의 상품들을 차지하고 있습니

다. 그러니까 우리 눈에 다양해 보이는 모든 상품들은 생물종이 늘어나서 그런 게 아니고 식품가공산업이 발달해서 된 것에 불과합니다. 이런 것들이 바로 녹색혁명을 통해서 이뤄진 것이죠. 제가 녹색혁명을 잘 몰랐을 때에는, 야 '녹색'도 좋은 말이고 '혁명'도 좋은 말인데 저것 좀 빨리 해야겠다, 이런 생각을 했었습니다만.(웃음)

녹색혁명이라는 것은 쉽게 말하면 생존차원의 농업을 자본주의 농업으로 편입시킨 것이라고 볼 수 있습니다. 미국을 비롯한 몇몇 선진국의 실험실에서 다수확 품종을 개발해서 그것을 전세계에 풀어 먹인 게 바로 녹색혁명입니다. 농부들이 받아서 쥔 것은 다수확품종 곡물 한 알이었지만, 여기에 온갖 사회시스템이 다 따라 들어옵니다. 바로 그 다수확품종 하나를 재배하기 위해서 비료 들어가야지 농약 들어가야지, 또 다수확품종은 물을 많이 먹습니다. 그래서 관개수로 정비해야지, 대규모 농기계 도입해야지, 이렇게 복잡한 시스템이다 보니까 이것을 지도할 농사 지도원도 있어야 합니다. 들어오기는 낱알 하나였지만 선진국에서 만든 거대한 사회시스템이 다 들어갑니다. 바로 이것을 제3세계 정부들이 발벗고 나서서 했고, 돈이 없는 제3세계 정부나 농부들이 이걸 갚을 길이 없으니까 결국 생산량은 몇 배 늘어났지만 모조리 빚더미에 앉고 말았어요. 이것이 가속화된 것이 오늘날 WTO 체제입니다. 결론적으로 이 제초제를 사용하는, 풀을 제거하는 관행농법은 심각한 환경오염을 가져오고, 식품오염을 가져오고, 생물종 다양성을 파괴하는 결과를 낳고 말았어요.

잡초를 어떻게 볼 것인가?

그럼 우리 생태주의자는 잡초를 어떻게 봐야 할 것인가? 물론 생태주의에도 여러 가지 스펙트럼이 있어서 일률적으로 말하기는 곤란하지만, 기본적으로 인간과 다른 생물종이 동등하다, 다른 생물종들도 고귀한 가치를 갖고 있다, 이런 생각을 가지고 잡초를 대해야 한다는 것이지요. 사실 잡초 입장에서 보면 자신을 잡초라고 부르는 것은 말도 안 되는 얘기죠. 일종의 모독입니다. 사람들이 이상한 작물을 심어 놓고 자신을 모조리 제거하려고 드니 잡초로서는 정말 견디기 어려운 노릇입니다.

영국의 한 잡초학자가 잡초의 이상형, 즉 가장 이상적인 잡초의 품성을 적어 놨어요. 제가 한번 이 사람이 이상적인 잡초란 뭔가 하고 써 놓은 걸 그대로 읽어 보겠습니다. "이상적인 잡초는 쓸데없이 크고, 생장속도가 빠르고, 못생겼고, 쓸모가 없고, 꿀이 없고, 야생적 가치가 없고, 숫자가 많고, 쉽게 번식하고, 맛이 없고, 가시가 많고, 알레르기를 일으키고, 독성이 있고, 역겨운 냄새를 내고, 잎이 금방 무성해지고, 재배하기 까다롭고, 제초제에 내성이 강하고, 뿌리가 울퉁불퉁하다." 하여간 잡초에다 나쁜 말은 다 갖다 붙였어요. 이렇게 잡초에다 나쁜 말은 다 갖다 붙이고, 잡초는 싹 죽여 버리고, 그 자리에 희멀건 야채만 키워서 먹었어요. 이것이 오늘날의 농업이에요.

그런데 여러분, 이게 아주 낯익은 사고방식입니다. 서구 제국주의자들이 제3세계를 침략할 때 바로 똑같은 방법을 썼어요. 자기네 문

명이 가장 선진적이고 인간적이고 민주적이고 인간의 문명이 가야 할 방향이다, 이렇게 정의해 놓고 나머지 제3세계 문명들에는 방금 말한 잡초처럼 모든 나쁜 품성들을 다 붙여 놓았습니다. 그렇게 해 놓고 진보의 이름 아래 이것들을 사그리 없애려 하였습니다. 그것이 지금 제국주의가 지배하는 세계질서입니다. 이것이 농업에 적용된 것이 바로 잡초를 제거하는, 제초제를 쓰는 농업인 것입니다. 최근 서구에서는 이러한 것들을 '생태학적 제국주의'라고 해서 역사적으로 연구하는 사람들도 있더군요.

한번 생각해 보십시오. 지구상에 지금까지 알려진 식물종 — 물론 아직 알려지지 않은 식물, 사람들이 미처 이름을 붙이지 못한 식물종이 더 많습니다만 — 이 약 35만여 종 있다고 그럽니다. 그런데 이 35만여 종의 식물 중에서 인간들이 재배해서 먹고 있는 것은 약 3천 종 가량 된다고 합니다. 그러면 35만에서 3천을 빼면 숫자가 어떻게 됩니까. 대략 34만 7천 종의 식물들을 전부 잡초라고 없애 버리는 그런 우를 지금 인류가 범하고 있어요. 그것이 어째서 잡초입니까. 그래서 저는 잡초라는 말을 안 씁니다. 대신에 저는 야초(野草)라는 말을 쓰고 있어요.

이 야초는 하나하나가 모두 나름대로 고유한 가치를 갖고 있습니다. 다만 우리들이 아직 그 가치를 잘 몰라요. 모른다고 해서 무조건 없애버리는 것은 결코 합리적인 태도가 아니라고 봅니다. 제가 이렇게 잡초를 공부하다가 발견한 아주 멋들어진 정의가 하나 있어요. 에

머슨이라는 학자가 붙인 정의인데요. "잡초는 그 가치가 아식 우리에게 알려지지 않은 풀이다." 아주 기가 막힌 정의라고 봅니다. 물론 이것도 약간은 인간 중심적인 냄새가 나기는 하지만 상당히 겸손하고 잡초를 이해하려는 그러한 정의라고 봅니다. 잡초들이 아직은 우리한테 잘 알려지지 않았어요. 그렇지만 우리는 이 잡초들 때문에 살아가고 있다는 것을 명심해야 됩니다. 옛날에 우리 농부들은 이러한 점을 잘 알고 있었어요. 그래서 이들은 농사를 지을 때 밭 가운데 나는 잡초들을 무조건 잡아 뽑지 않았습니다. 오랫동안 농사를 지으면서 잡초의 특성들을 연구해서 먹을 수 있는 것과 먹을 수 없는 것, 또 먹을 수 없는 것들 가운데서 생활에 유용하게 쓸 수 있는 것들을 구분하여 쓰임새에 따라 이용했습니다. 예를 들어 퇴비를 만든다든지, 빗자루를 만든다든지, 여러 가지 생활도구를 만들어 썼습니다. 그런데 오늘날은 어떻게 됐습니까? 산업화가 된 이후로 이러한 생활용품들은 모두 다 상품으로 나와 있지요. 새끼줄 대신에 나일론 끈을 쓰고 초가지붕 대신에 양철지붕을 올리고 이러다 보니까 야초를 활용할 필요가 없어졌어요.

우리가 70년대에 통일벼를 심었죠. 정부에서 통일벼 안 심으면 가만두질 않았어요. 여기 정농회 오재길 선생님도 오셨지만 제가 지난 여름에 변산에 계신 정경식 선생님 집에 찾아간 적이 있어요. 그분이 70년대 통일벼 심을 때 재래종 벼를 심었다가 이웃집에서 간첩신고를 했다고 그래요. 우리사회는 툭하면 간첩이에요.(웃음) 그런데 이분이 김대중씨가 대통령이 되고 나서 유기농업 잘했다고 대통령상을

받았어요. 세월이 엄청나게 변했죠. 그런데 그 당시 통일벼라는 것이 사실 재래종에 비해 소출이 두배 세배 이렇게 났어요. 그런데 아까 말씀드렸듯이 그렇게 소출을 내려고 하면 엄청난 외부투입을 해야 합니다. 엄청난 비료를 넣어야 되고, 관개시설 만들어야 되고, 기계로 다 해야 되고, 그 비용을 다 따지면 사실 소출 많이 난 거 아무 것도 아닙니다.

그런데 옛날에 모든 연관관계가 살아있을 때는, 수확이 좋다 했을 때는 요 알갱이뿐만 아니라 잎사귀, 줄기도 무성한 것이 좋았어요. 왜? 그것도 다 쓰는 거니까. 퇴비로 쓰고 생활재로 쓰고 하니까. 그런데 이 연관관계가 끊겨버리니까 이게 다 필요 없는 거예요. 알갱이만 크게 해서 먹으면 돼요. 벼가 줄기는 부실하고 머리만 크다 보니 바람만 불면 잘 쓰러집니다. 완전히 세상이 가분수로 되어 버린 것이죠.

그런데 이 야초가 자라는 것을 가만히 보면 말예요. 이것이 쓸데없이 그 자리에 난 게 아닙니다. 이런 얘기 많이 하지만, 하느님께서 이 세상을 창조하실 때 쓸모없는 것은 하나도 안 만들었다는 겁니다. 야초도 마찬가지예요. 야초가 쓸데없이 그 자리에 난 건 하나도 없어요. 다 자연이, 그 땅이 필요해서 야초를 그 자리에 키우는 것이죠. 쓸데없이 난 게 아니예요. 예를 들면 어떤 특정 잡초들은 그 토양이 척박해서 토양에 영양분을 공급하기 위해서 뿌리를 저 땅속 깊이 내려 땅속 암반에서 미네랄을 끌어올려서 토양을 비옥하게 만듭니다. 이런 걸 요즘 농부들이 몰라요. 그리고 어떤 풀들은 공기 중에서 필요한 무기물질을 흡수해서 토양으로 보내 주기도

합니다. 또 풀을 다 뽑아 버리고 맨땅이 드러나게 되면 비나 바람 때문에 토양유실이 심화됩니다. 토양이 침식되고 그런 걸 땅이 싫어하니까 자기를 보호하기 위해서 잡초를, 풀을 내는 겁니다. 그 밖에 인간들이 알지 못하는 여러 가지 이유들이 있습니다. 우리들이 아직 그걸 다 밝혀내지 못하고 있어요. 무식한 놈이 용감하다고 지금 그런 식으로 농사를 짓고 있습니다.

마을공동체와 생태주의

제가 사실 잡초, 야초와 인연을 맺은 게 어떤 책을 통해서, 관념을 통해서 된 게 아닙니다. 제가 감옥에 가기 전까지 공부했던 것은 제국주의였습니다. 한국의 모든 운동은 반제(反帝)노선에 따라서 운동을 해야 한다, 이런 관념을 가지고 공부를 하고 활동을 했습니다. 뭐 그러다 결국은 어떻게 어떻게 해서 간첩이 되어 버렸지만, 그 과정에서 제가 건진 것은 두 가지입니다. 공동체와 생태주의가 그것입니다.

대학시절 이후 지금까지도 제 머리를 지배하고 있는 것이, 제국주의가 지배하는 세계질서 속에서 제3세계 민중들이 어떻게 자주적으로, 자립적으로 살 수 있겠는가 하는 문제였습니다. 그래서 그것을 꾸준히 고민하고 연구하고 하는 가운데서 제가 발견한 것이 공동체입니다. 제국주의가 지배하는 세계질서 속에서 오직 공동체만이 살아남을 수 있다, 이런 결론이었어요. 이것을 알게 된 것은 제3세계 혁명을 연구하면서였죠. 그리고 결정적으로 이러한 관념을 갖게 된

것은 베트남 혁명을 공부하면서였어요. 베트남 혁명을 전쟁학자들은 '마을전쟁'이었다고 평가합니다. 미군이 정글에다 아무리 폭격을 해도 결국 정글 속에 숨어 사는 월맹군, 베트남 민족해방군을 이기지 못했어요. 위에서 아무리 폭격을 퍼부어도. 이건 뭐냐 하면 마을공동체라는 소프트웨어를 미국이 파괴시키지 못했기 때문입니다. 다시 말해 월남이 승리할 수 있었던 것은 호치민이라는 정치지도자가 공산주의 정치군사조직을 베트남의 전통적인 마을공동체와 결합시켜서 결국 제국주의 침략전쟁을 물리칠 수 있었다, 이런 결론을 얻었습니다. 특히 여기서 공동체야말로 막강한 제국주의와 싸울 수 있는 유일한 사회구조다, 이런 결론을 얻었습니다. 실제적으로 지금 WTO가 진행되고 있는 상황에서 한국농업이 살아날 길이 뭐냐 할 때 저는 아무 것도 찾아낼 수가 없습니다. 오로지 이 사회가 지역공동체 중심으로 재편되지 않는 한은 아무런 대안을 찾을 수가 없다고 감히 말씀드립니다. 이것이 제가 감옥 들어가기 전까지 제국주의에 대한 연구를 통해서 얻은 결론입니다.

제가 지금처럼 이렇게 변화된 것은 감옥이라는 특수한 상황 속에서였는데요. 감옥에서 생태주의자로 이렇게 변신이랄까 혹은 자기 존재에 대한 어떤 근원적인 재인식이랄까를 경험하게 되었습니다. 영국에 가면 슈마허대학이라고 생태학을 가르치는 유명한 대학이 있어요. 《녹색평론》 독자들은 아마 대부분 아실 겁니다. 거기서 되지도 않는 영어를 가지고 제가 강연 비슷한 것을 했어요. 제목이 "어떻게 감옥 안에서 심층생태학이 싹트게 되었는가"였습니다. 감옥에서 생

태학에 관한 책 한 권 읽어 보지 않고 심층생대주의자가 되었다고 하니까 그곳에 모인 사람들이 너무 신기해하면서 열심히 들어주었던 일이 있었습니다. 그런데 사실 이것은 반은 거짓말이고 반은 맞습니다. 반은 맞다는 것은 사실상 그 무렵에 생태학에 관한 제대로 된 책이 없었어요. 제가 거의 다 몸으로 깨달은 거죠. 그리고 반은 거짓말이라는 것은 제가 《녹색평론》 창간 때부터 지금까지 독자입니다. 제게는 《녹색평론》이 있었던 것이죠. 《녹색평론》이 저를 변화시키는 데에 결정적인 역할을 했다고 볼 수 있습니다.

몸의 깨달음, 몸의 확장

그런데 그건 책 얘기이고, 사실 감옥에 들어가면 제일 먼저 맞닥뜨리게 되는 게 뭐냐 하면 한 평짜리 방에서 생활하는 건데요. 아무 것도 할 것이 없는 방안에 혼자 딱 앉아 있으면 마주치는 게 뭐냐 하면 자기 몸입니다. 자기 몸밖에 갖고 놀 게 없어요. 기억하시는 분이 계실지 모르겠지만 작고하신 김남주 시인이 쓰신 시 중에 이런 시구가 있습니다. "감옥에 가 본 사람은 안다. 감옥에, 독방 안에 할 일이 얼마나 없는지. 독방에 앉아서 자기 몸의 일부를 붙들고 흔드는 것밖에는 할 일이 없다." 조금 말을 돌려서 표현했지만 사실상 그렇습니다. 거기서 자기 몸을 관찰하게 됩니다. 딴 건 할 게 없으니까. 도대체 이 몸이 어디서 왔고 어떻게 생겨 먹었으며 어떻게 반응을 하는지 그걸 관찰하게 됩니다. 저는 생태주의를 여기서 출발했습니다. 지금도 제가 말씀드리고 싶은 것이,

생태주의자는 들판에 나가서 자연을 관찰하고 새와 벗하고 이래서 생태주의자가 된다, 이게 아니라고 말씀드리고 싶습니다. 생태주의자는 자기 몸으로부터 출발한다, 이렇게 말씀드리고 싶습니다.

우리는 지금 너무나 많은 것에 둘러싸여 있어서 자기 몸을 관찰할 기회가 없어요. 너무 많은 정보에 둘러싸여 있어 자기 몸이 어떻게 되어 먹은 지도 모릅니다. 저는 참 운이 좋게도 감옥에 들어갔기 때문에 그런 기회를 가질 수 있게 됐어요.

'몸'이라는 글자를 한번 살펴봅시다. 'ㅁ'이 있고 점을 찍고, 일획을 긋고 다시 'ㅁ'이 있어요. 저는 이것을 이렇게 해석했어요. '첫째 미음'은 하늘이고, 점은 사람이고, 일획은 대지 즉 자연이다. '밑의 미음'은 미음 받침이고. 이 관념을 딱 놓고 가만히 앉아서 천지와 나와 대자연을 잘 생각하면서 미음을 한번 발음해 보십시오. "음—" 하고. 그럼 진동이 일어납니다. 이 진동 속에서 천지와 내가 하나가 됩니다. 이게 내 몸입니다. 내 몸안에 진동이 일자 천지만물이 하나가 된다, 그런 것을 깨닫는 순간 세상이 그때부터 다르게 보이기 시작하더라고요. 한 평짜리 방안에서 내가 우주구나, 그것을 깨달으면서 주변의 모든 사물들이 달라 보이게 됩니다. 그 이전에는 방안에 파리 같은 것이 날아오면 귀찮으니까 쫓아 버렸지만, 아, 저 녀석도 내 몸의 일부구나 하고선 같이 대화하고, 거미 한 마리가 줄을 타고 내려오면, 아, 이 녀석도 내 몸의 일부구나 하게 됩니다. 자기가 접하는 모든 것을 자기 몸의 확장으로 인식하게 됩니다.

물론 감옥에 들어갔다고 해서 이런 생각을 금방 하게 되는 것은 아닙니다. 사람의 사고방식이라는 게 바뀌는 데 굉장히 시간이 걸립니다. 이것을 깨닫는 데만도 감옥 안에서 5년이라는 세월을 흘려보냈습니다. 그 5년의 세월은 뭐였냐 하면, 내가 억울해서 못살겠다, 내가 간첩 비슷한 짓도 하지 않고 간첩죄를 뒤집어쓰고 무기징역을 사는데 이거 억울해서 못살겠다, 어떻게 해서든지 내 억울함을 밝혀내고 나가야겠다 하면서 이 자리에서 다 말씀드리기 힘든 별별 짓을 다 했습니다. 단식투쟁도 하고, 밀서도 날려 보내고, 만세도 불러 보고. 만세 불렀다는 건 뭐냐 하면, 그 무렵엔 독방에 갇혀 있을지라도 김일성 만세를 외치면 무기징역을 살고 있는 상태에서도 추가징역 3년을 받았어요. 감옥살이라는 게 그렇습니다. 그런데 이 모든 짓이 다 실패로 돌아갔어요. 그리고 그렇게 몸부림치는 가운데 제 몸도 다 망가졌어요. 하여튼 그때 제가 만성 기관지염에 요통에 치통에 뭐 몸이 많이 안 좋았습니다. 그러면서 이러한 깨달음이 동시에 오는 것이었습니다. 몸의 깨달음이랄까요. 그때 제가 몸을 치유하기 위해서 시작했던 것이 자연요법이었습니다. 자연요법으로 제가 주로 했던 것이 풀이에요. 아까 제가 몸의 확장을 이야기했는데요. 그건 방안에 있을 때 그렇고. 그 안에서 하루에 한 시간씩 운동시간이 주어지는데, 운동시간에 나가서 운동장에 난 풀들을 보면 아, 요놈도 내 몸의 일부구나 하고 이제 그 풀들을 관찰하기 시작합니다. 그리고 거기에 의료시설이 변변치 않으니까 몸을 고치기 위해서 풀들을 먹기 시작했습니다. 그래서 그 풀들을 하나하나 가꾸고 관찰하고 또 먹고 이러면서 저도 모르게 점점 생태주의자가 된 것입니다.

풀과의 교감

제가 안동교도소에서만 7년을 있었는데요. 거기서 교도소장한테 특별히 허락을 받아 가지고 운동장 한구석에 제 화단을 하나 만들었어요. 그래서 거기를 야초화단으로 만들었어요. 그거 유지하는 데 굉장히 힘들었습니다. 왜냐하면 교도소라는 데는 일절 풀이 자라지 못하게 하는 데입니다. 왜냐하면 풀이 이렇게 자라면 재소자들이 풀 속에 숨어서 탈옥을 할 수 있다, 그래서 풀이 보이는 족족 다 뽑아 버립니다. 구내 청소를 하는 재소자 집단이 있어서, 그 사람들은 매일같이 빗자루나 삽을 들고 다니면서 풀 뽑는 게 일이에요. 이런 가운데에서 제가 야초화단을 가꾸었으니 처음에는 이 사람들이 "아니 왜 풀을 화단에다 심어 놨어?" 하고 다 뽑아 버리는 거예요. 그래서 한동안은 계속 이 친구들하고, 야 이건 내가 키우는 거니까 제발 뽑지 마라 하고 아주 말다툼도 많이 하고 그랬어요. 나중에 제가 워낙 열심히 풀을 가꾸고 기르고 하니깐 이 친구들이 이해를 해서 제 화단에는 손을 안 대게 됐어요. 옛날 감옥에서 보낸 편지를 들춰 보니까 제가 거기서 가꾼 풀들에 관한 기록이 남아 있어서, 풀이름을 한번 적어 봤어요. 여러분들 한번 재미 삼아서 들어 보세요.

산부추, 며느리밑씻개, 수까치깨, 둥근 매듭풀, 바늘사초, 산국, 구절초, 쑥부쟁이, 사철쑥, 새콩, 괭이밥, 꿀풀, 새잎 양지꽃, 쇠뜨기, 조밥나물, 아기똥풀, 석잠풀, 박주가리 덩굴, 딱지꽃, 황금, 제비꽃, 조뱅이, 달맞이꽃, 배초향, 땅빈대, 물봉선, 쇠별꽃 ······

지금 제가 읽은 게 한 80여 가지 됩니다. 이것을 단지 심고 기른 것뿐만 아니라, 일일이 식물지를 기록했어요. 여기 잠시 보여 드릴까 합니다. 그런데 감옥에서는 자기 글을 써서 가지고 있지를 못합니다. 나갈 때 다 빼앗겨요. 그래서 어떤 생각을 하게 되면 이것을 편지형식으로 기록해서 밖으로 내보냅니다. 저도 그 당시에 감옥에서 생각했던 모든 것들을 다 적어서 누군가한테 편지형식으로 내보냈습니다. 이것이 그때 제가 식물지를 만들면서 기록했던 봉함엽서입니다. 일일이 그림을 다 그려서 이렇게 기록했던 것이죠. 제가 아까 말씀드린 서양의 한 잡초학자는 잡초의 습성, 그 못된 습성들을 전부 다 망라해 가지고 이것이 잡초다 그랬는데, 거기에 대비시켜 보기 위해서 제가 썼던 편지 가운데 야초에 관한 글 하나를 읽어 보겠습니다. 그 사람의 사고방식과 저의 사고방식이 어떻게 다른지 비교해 보시기 바랍니다. 여기 그림도 그렸는데, 요것이 왕고들빼기 잎입니다. 조금 긴 것 같지만 한번 들어 보십시오.

　(본문 "왕고들빼기", 157쪽)

　이런 내용이었는데요. 여러분은 제가 다양한 풀이름을 댄 것을 보고, 교도소에 풀이 그렇게 많으냐, 이렇게 생각하실 지도 모르겠지만, 사실 풀이 그렇게 많지는 않습니다. 다 긁어모아도 기껏해야 10여 종, 20여 종을 넘지 않습니다. 제가 100여 종 가까이 기를 수 있었던 것은, 장기수들한테 일 년에 한두 차례씩 일종의 사회적응 훈련으로 '사회참관' 이란 게 있습니다. 말하자면 초등학교 시절 소풍 같은

거 비슷한데요. 인근의 절이나 관광지 같은 데 데려가서 나들이를 시켜요. 그렇게 가게 되면 다른 사람들은 절이나 사람들 구경하느라 두리번거리지만, 저는 그냥 땅만 보고 다녔어요. 새로운 풀이 있는가 하구요. 그래가지고 못 보던 풀만 나왔다 하면 뽑아서 다 주머니에 넣었어요. 들어와서 그걸 제 화단에 심어서 키운 게 그렇게 100여 종 가까이 되는 것입니다.

제 개인 경험을 이야기했는데, 제가 이렇게 긴 글을 인용한 것은 풀과 우리 삶과의 교감이라고 할까요, 그런 예를 들고 싶어서 한 것입니다.

야생초와 더불어 짓는 농사

이제 우리가 야생초와 공생하게 될 때, 야생초와 함께 농사를 지을 때 생기는 이점이 무엇인가를 한번 알아보겠습니다.

첫 번째, 야생초와 함께 농사를 짓게 되면 종의 다양성을 유지하는 데 기여할 수 있게 됩니다. 우리는 그동안 지구상의 생물종을 무차별하게 죽여 왔어요. 야생초와 함께 농사를 짓게 되면 그와 더불어 무수한 생물종들이 더불어 살게 됩니다.

두 번째로, 야생초와 함께 농사를 짓게 되면 토양침식과 오염을 방지할 수 있습니다. 아까 말씀드렸듯이 풀이 덮여 있으면 토양침식이 일어나지 않아요. 자연농업의 첫째 조건이 땅을 갈지

않는 것입니다. 풀을 함부로 제거하지 않음으로써 토양침식도 방지하고 익충의 보금자리를 제공하는 등 여러 가지 이점을 누릴 수 있습니다.

세 번째로, CO_2 증가를 억제하는 데 기여합니다. 이게 무슨 소리냐 하실 지 모르겠지만, 지금 지구상에 이산화탄소 증가 때문에 말들이 많죠. 소위 그린하우스 효과라는 이걸 줄이기 위해서 각국에서 별의별 조치를 다 하고 있어요. 교토의정서도 그중의 하나지요. 얼마 전에 미국에서 반대를 해서 무산될 뻔하다가 어정쩡하게 타협을 해서 넘어간 일이 있는데요. 사실 지구상의 탄소는 대기 중에 있는 것은 얼마 안 되고 90%가 전부 땅에 묻혀 있습니다. 그런데 경운을 하게 되면 탄소가 공기 중으로 방출되고 CO_2 가 생깁니다. 지구상에 농경지가 얼마나 많습니까. 이것을 다 경운하게 되면 CO_2 증가에 엄청나게 기여를 하게 됩니다. 자연농업이 왜 소중하냐 하면 경운을 하지 않기 때문입니다. 그래서 캐나다와 같은 선진국가에서는 농부들이 휴경을 하게 되면 휴경보상금을 주는데 그것이 휴경을 하니까 준다 이런 차원도 있고요 — 선진국에서는 다 휴경보상제를 하고 있어요 —, 그런데 여기 보상이유 중의 일부가, 당신이 휴경을 함으로써 공기중에 CO_2 를 방출하지 않기 때문에 거기에 대한 보상금을 준다, 이런 대목이 있습니다. 이건 대단히 구체적인 사례인데, 그런 이유에서도 농업이 크게 기여할 수 있다는 것입니다. 사실 또 풀이 무성하게 자라면 거기서 산소가 방출되니까 역시 CO_2 증가를 억제하는 데 기여하게 됩니다.

네 번째로, 다양한 야초들이 자라게 되면 환경과 경관이 좋아지지요. '경관 생태학'이라고, 그런 것을 전문적으로 연구하는 학문이 있습니다.

다섯 번째로, 먹거리가 다양해지고 우리 영양원이 풍부해집니다. 사실 제가 감옥에 있을 때 별명이 토끼였습니다. 토끼같이 생겨서 그런 것이 아니라, 풀이란 풀은 다 뽑아 먹고 있으니까 주위 동료들이 별명을 그렇게 붙여 줬어요. 야생초에 한번 맛을 들이면 일반 채소들은 싱거워서 맛이 없어요. 채소라는 것이 뭐냐 하면 야생초를 오랫동안 재배해서 맛과 향기를 다 빼 버리고 밋밋하게 만든 것입니다. 영양의 에센스가 다 야초에 들어 있습니다. 이런 것들을 수백 종 심어 놓고 자기 입맛에 따라서 뽑아 먹는다면 식료품비가 따로 들 필요가 없어요.

자연농법의 창시자인 후쿠오카 마사노부 같은 분은요, 그분도 채소씨를 뿌려요. 그런데 채소를 길러 먹는 게 아니고, 야생화된 채소밭을 가꿔요. 먹을 수 있는 야초씨하고 기존 채소씨, 가령 배추나 무 이런 것을 뒤섞어서 무차별로 뿌리는 거예요. 그리고는 놔둬요. 그게 하나의 야채밭이 돼요. 그러고서 자기 입맛에 맞게 뜯어 먹는 거예요. 그 밖에 차, 약술, 약재 이런 것들로 다양하게 활용할 수 있죠. 감옥 안에 있을 때 제 방엔 책도 많이 있었지만 방이 아주 복잡했어요. 야생초를 절기마다 뜯어서 말려 가지고 그걸 비닐봉지에 담아 방에다 주욱 걸어 놓습니다. 한 10여 가지 말려 가지고 이것을 분위기에 따라

서 차로 우려먹었습니다. 덕분에 제가 건강을 유지했다고 말씀드릴 수 있겠는데, 야생초를 연구하여 풀의 특성과 맛, 이런 것을 다 알게 되면 집에서 커피 같은 것은 먹을 필요도 없습니다. 야생초를 갈무리해 놓고 기분에 따라, 가령 내가 오늘 좀 우울하다 그러면 우울한 기분에 맞는 차맛이 있는데 그걸 달여 먹습니다. 자기가 연구해 보면 알아요. 오늘은 즐겁다 그러면 즐거울 때 먹는 차를 마시고. 이걸 스스로 공부하면서 알게 돼요. 그 안에서 야생초에 관한 온갖 책들을 읽고 공부하면서 이런 체계를 쌓아 나갔어요. 이것 자체가 재미죠.

그 다음 여섯 번째로 야생초와 함께 농사를 짓게 되면 다양한 생필품 재료를 얻을 수 있습니다. 우리가 조금만 창작력을 발휘하게 되면 가정에서 필요한 소소한 물건들은 전부 주변에서 나는 야생식물들로부터 다 얻어 쓸 수 있습니다. 이러한 것들을 전부 돈 주고 사려고 그러니까 가계비만 늘어나고 생활도 재미없게 되고 이렇게 되는 것이죠.

마지막으로 제가 이점으로 들고 싶은 것은, 야생초와 함께 농사를 짓게 되면 자연과 공생하면서 조화롭게 살 수 있다, 즉 자기 삶의 총체성을 회복할 수 있다는 것입니다. 생태주의 운동을 저는 복잡하게 말하지 않습니다. 저는 생태주의 운동을 삶의 총체성을 회복하는 운동이다, 이렇게 말씀드리고 싶습니다. 우리 삶의 조건인 식물, 자연, 이것과 공생할 수 있고 일치할 수 있으면 이것이 생태주의적 삶이라고 말할 수 있습니다. 그 가장 손쉬운

재료가 바로 야초가 아닌가 이렇게 생각합니다. 그래서 이 야초만 우리가 잘 이용하면 우리 식생활에 들어가는 비용을 거의 3분의 1로 줄일 수 있습니다. 3분의 1이 뭡니까? 자기가 먹는 쌀값만 들면 됩니다. 그리고 육식에 치중하고 있는 식생활로부터도 멀어지게 됩니다. 워낙 먹을 게 다양한데 고기를 먹을 필요가 없어요.

농업을 상업주의에서 해방시키자

시간이 많이 됐군요. 정리를 해야 될 것 같습니다.

야초를 이용한 농업을 하려면, 먼저 자연농법을 실천해야 합니다.

두 번째로 꼭 제초를 해야 한다면 선택적인 제초를 해야 합니다. 자기가 심어 놓은 작물에 직접적인 피해를 주는 풀만 제거해야 합니다. 제거를 하더라도 그 자리에 놓아야 합니다. 그것을 어디에 들고 나가면 안됩니다. 다 그 자리에 놓아야 합니다. 그리고 직접적으로 해를 끼치지 않는 것은 그대로 내버려 두는 겁니다. 내버려 둔다고 해서 손해가 나는 게 아니예요. 그게 다 전부 작물한테 이득이 됩니다. 거기에 작물에 해를 주는 해충, 익충들이 다같이 살기 때문에 이 녀석들이 평형을 이뤄 가지고 결국은 작물한테나 사람한테 다 이득이 되는 것이죠.

세 번째로 야초의 다양한 용도를 개발해야 합니다. 이 세 가지가 야초와 함께 하는 농사의 기본이라고 봅니다.

그렇다면 오늘날 WTO 체제에서 우리가 어떻게 이러한 농사를 지을 수 있겠는가? 아까도 제가 잠깐 말씀드렸지만, WTO 체제에서는 방법이 없습니다. 제가 영국에 있다가 왔지만 영국의 농업을 돌아보니까 희망이 없어요. 밀, 보리 심을 데다 전부 풀 심어서 양과 젖소들 먹이고 있습니다. 그것도 구제역이다 광우병이다 해서 잘 안돼요. 희망이 없어요. 우리 정부가 지금 기대하고 있는 정책이란 것이 국제경쟁력을 갖기 위해 농지를 소수한테 집중시켜서 기업농을 하겠다는 것인데, 오래 전부터 기업농을 하고 있는 영국을 보더라도 쉬운 일이 아닙니다. 거기 농토가 우리나라 농가 평균과 비교해 볼 때 70~100배는 넓어요. 무지무지하게 넓어요. 그런데도 안돼요. 어떻게 되겠습니까. 미국이나 호주같이 광대한 면적을 어마어마하게 큰 기계로 농사짓는 나라하고 우리가 아무리 기업농 한다고 해도 가격경쟁이 될 수가 없습니다. 결국 우리 같은 나라들은 WTO 체제에서 기존의 농사방식을 가지고는 버틸 수가 없습니다. 이걸 수용해야 합니다.

저는 이것이 참 좋은 기회라고 생각합니다. 혹자는 '틈새시장을 찾자' 이런 이야기들 많이 하는데, 틈새라는 게 뭡니까. 다른 것들이 다 차지하고 있는 곳에 틈새가 조금 났다는 것인데, 그런 틈새는 일부 농민들이나 혜택을 볼 수 있지 농업 전반에 대한 대안은 아니라고 봅니다. 그래서 저는 이것이 오히려 대안적인 농업으로 가기 위한 좋은 기회라고 생각합니다. 이 기회에 농업을 상업주의로부터 해방시키자, 상업주의 농업을 짓지 말자 이겁니다. 전국이 개인별 혹은 공동체별로 농사를 지어서 서로 나눠 먹자, 이것이 제가 주장하고 싶은

것입니다. 그래서 농업문제만큼은 전국에 있는 시민단체나 개인들이 나라의 문제가 아니고 내 문제라고 인식을 해야 된다 이 말입니다. 그래서 모든 시민단체들이, 민주노총도 그렇고 전교조도 그렇고, 경실련이니 할 것 없이, 자기 나름의 생태농장을 가져야 합니다. 농업 팀을 다 꾸려야 합니다. 그리고 이들이 '한살림'이나 '생협' 등의 소비자 조직과 다 연결되어서 서로 나누는 것입니다. 아니 시민단체들이 농장을 가지고 있으면 구태여 다른 생협을 찾을 필요도 없습니다. 자기들 조직 자체가 생협이 되기 때문입니다. "농업문제는 자기자신이 해결한다. 자기가 먹을 것은 자기가 책임진다." 앞으로 방법이란 이것밖에 없다고 봅니다. 농업을 상업주의로부터 해방시켜야 합니다.

제가 자연농업을 연구하면서 발견한 대단히 막강한 자연농업 조직이 있습니다. 모키치 오카다라는 분인데, 이분은 후쿠오카 마사노부하고 같은 시기에 자연농법을 창안한 사람입니다. 이 사람은 자신이 발견한 자연농법으로 세계인구를 구원하자고 해서 '세계구세교'라는 종교를 만든 사람입니다. 그 조직을 들여다보면 아주 대단한 사람입니다. 이 사람이 유엔인가 어디 국제기구에서 연설을 하는데 "내가 이 조직을 만든 것은 무슨 교주가 되어서 행세하려는 게 아니고, 농업을 상업주의로부터 해방시키기 위해서 이것을 만들었다" 그럽니다. 그렇습니다. 이 사람의 궁극적인 목적은 농업을 상업주의로부터 해방시키는 것입니다. 그래서 그런 종교조직을 통해 농법을 전파하고, 또 종교조직 자체가 생활협동조합입니다. 거기서 서로 나눠 먹고

교육하고 이렇게 해 나가고 있습니다. 이것은 종교적 도그마를 가진 단일조직의 예이지만, 우리 나라의 어떤 시민운동단체들도 농업을 자기 문제로 인식해서 스스로 해결하려는 노력을 기울이지 않고는 우리가 당면한 농업문제 해결을 어디에서도 기대할 수 없다는 것입니다.

제가 예정된 시간을 좀 지나서 이야기했는데, 제 삶의 경력 자체가 이상주의적이다 보니까 제 주장도 그렇게 된 것 같습니다. 그러나 제가 이런 말을 하면서도 스스로 비하하지 않는 것은, 인류의 역사가 이런 말도 안 되는 이상주의적인 발언을 하는 사람, 이상주의적인 생각을 하는 사람들이 있었기 때문에 그래도 타락의 구렁텅이로 떨어지지 않고 역사발전을 해 왔다고 믿기 때문입니다. 그런 믿음을 가지고 앞으로도 계속 이상주의적으로 살아가려고 합니다. 오늘 창간 10주년을 맞은 《녹색평론》과 독자 여러분이 저의 동지이고 제 스승이라고 생각하면서 이제 새롭게 태어난 인생을 출발하려고 합니다. 앞으로 제가 이러한 세상을 만들어 가는 데에 조그마한 밑거름이라도 되고 싶은데, 여러분의 많은 지도편달을 부탁드리면서 오늘 강연을 마치겠습니다.

여기에 사는 즐거움

야마오 산세이 지음 | 이반 옮김

신국판 288쪽 / 8500원

시인으로 농부로 구도자로 섬 생활 25년

인생의 어느 시기에 배움과 동경의 여행은 끝나고 여기에 사는게 시작된다
여기에 산다고 하는 것은 두 번 다시 할 수 없는 인생 여행의 참다운 시작이다

P9-EBY-217